Arielle SAUVES.

D1589679

Savoir organiser
Savoir décider

Couverture

- Maquette:
  MICHEL BÉRARD

Maquette intérieure

- Conception graphique:
  MICHEL BÉRARD

DISTRIBUTEURS EXCLUSIFS:

- Pour le Canada:
  AGENCE DE DISTRIBUTION POPULAIRE INC.*
  955, rue Amherst, Montréal H2L 3K4 (tél.: 514-523-1182)
  *Filiale de Sogides Ltée

- Pour la France et l'Afrique:
  INTER-FORUM
  13, rue de la Glacière, 75013 Paris (tél.: 570-1180)

- Pour la Belgique, la Suisse, le Portugal, les pays de l'Est:
  S.A. VANDER
  Avenue des Volontaires 321, 1150 Bruxelles (tél.: 02-762-0662)

Gérald Lefebvre

Savoir organiser
Savoir décider

Centre interdisciplinaire de Montréal Inc.

5055, avenue Gatineau Montréal H3V 1E4 (514) 735-6595

Les Éditions de l'Homme*

CANADA: 955, rue Amherst, Montréal H2L 3K4

*Division de Sogides Ltée

Bibliothèque nationale du Québec
Dépôt légal — 3e trimestre 1975

ISBN-0-7759-0466-X

Table des matières

équipe spécialisée — Le plan d'implantation — La motivation positive et négative — Les difficultés souvent rencontrées — Une implantation progressive

TROISIÈME PARTIE — Sur l'art de la gestion

Contexte de notre expérience — Equipes de direction — Quand y a-t-il équipe? — Par où commencer — Les objectifs — Les responsabilités individuelles — La prise de décision — Les relations interpersonnelles — Equipes spéciales — Le mandat — La composition — Les objectifs — Les méthodes de travail — La structure — La prise de décision — Les valeurs — L'importance du travail d'équipe

Le leadership — Styles de leadership — La délégation — La participation — La consultation — La clarté — En guise de conclusion

Liste des tableaux

Remerciements

Une certaine vision de la gestion et la méthodologie présentées dans ce livre trouvent leur origine dans les échanges fréquents et fructueux que j'ai entretenus avec mon associé, Emile J. Carrière. Il reconnaîtra, j'en suis certain, plus d'une idée partagée, plus d'une conclusion qui marquèrent nos nombreuses discussions au cours des six dernières années. Aussi, je tiens à lui exprimer toute ma gratitude.

Je veux également reconnaître d'une façon particulière l'apport de Jean-Marie Aubry du Centre interdisciplinaire de Montréal. Il a lu mon texte avec beaucoup de soin et m'a prodigué ses conseils. Ses suggestions et son encouragement m'ont permis de mener ce travail à bonne fin.

Je remercie aussi mon ami Guy Provost, professeur de français au Collège militaire royal de Saint-Jean, qui a revu l'ensemble du texte et Marguerite Dupont qui a patiemment recopié les versions successives.

Enfin, je remercie tous ceux qui de près ou de loin ont rendu possible la publication de cet ouvrage.

G.L.

LES ÉLÉMENTS DU SYSTÈME DE GESTION PAR OBJECTIFS

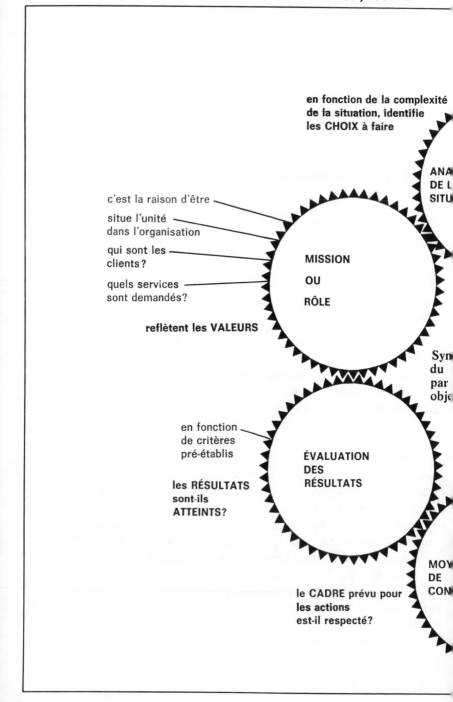

en fonction de la complexité
de la situation, identifie
les CHOIX à faire

ANA
DE L
SITU

c'est la raison d'être

situe l'unité
dans l'organisation

qui sont les
clients?

quels services
sont demandés?

MISSION

OU

RÔLE

reflètent les VALEURS

Syn
du
par
obje

en fonction
de critères
pré-établis

ÉVALUATION
DES
RÉSULTATS

les RÉSULTATS
sont-ils
ATTEINTS?

MOY
DE
CON

le CADRE prévu pour
les actions
est-il respecté?

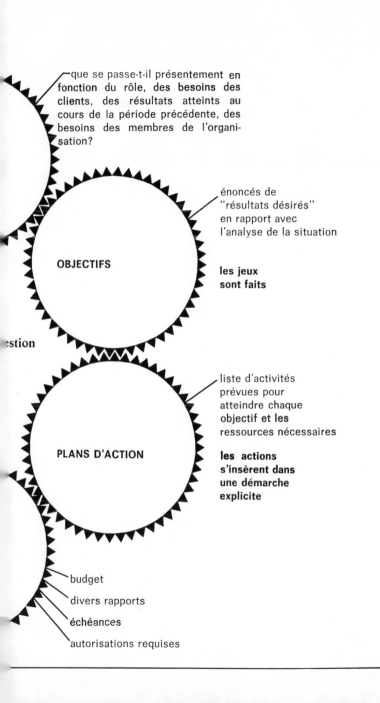

que se passe-t-il présentement en fonction du rôle, des besoins des clients, des résultats atteints au cours de la période précédente, des besoins des membres de l'organisation?

énoncés de "résultats désirés" en rapport avec l'analyse de la situation

OBJECTIFS

les jeux sont faits

estion

liste d'activités prévues pour atteindre chaque objectif et les ressources nécessaires

PLANS D'ACTION

les actions s'insèrent dans une démarche explicite

budget

divers rapports

échéances

autorisations requises

Préface

Le mouvement rapide des événements de ces dernières années requiert un examen critique des concepts qui expliquent comment les organisations fonctionnent ou doivent fonctionner et comment elles doivent être dirigées.

Les exigences changeantes des marchés et des consommateurs, les transitions dans les valeurs sociales — entre autres en ce qui a trait au rôle de l'entreprise dans la société, les attentes nouvelles des employés et le renforcement des groupes de négociations, ces facteurs et d'autres se rejoignent et créent une situation où le dirigeant perd de plus en plus le contrôle de l'organisation qu'il gère. Cette perte de contrôle est reliée à la perte de prestige et de pouvoir réel des personnes occupant des postes de leadership.

Le monde d'aujourd'hui exige que les organisations soient non seulement dirigées mais gérées, c'est-à-dire gouvernées avec une vision globale. La gestion d'organisations complexes demande des connaissances et des aptitudes qui n'étaient pas nécessaires dans le passé et par conséquent que plusieurs gestionnaires n'ont pas.

Le gestionnaire des années '70 doit apprendre de la sociologie à concevoir les organisations comme des systèmes sociaux, sujets à analyse systématique. C'est à partir de la théorie générale des systèmes qu'il comprendra les techniques requises pour ces analyses. A l'aide de la psychologie sociale, il doit découvrir comment les groupes peuvent arriver à travailler efficacement. La psychologie peut lui faciliter la compréhension de ce qui motive les gens.

Des « sciences de la gestion », il doit comprendre la technologie du planning, la théorie des systèmes d'information et la dynamique des systèmes.

Il a besoin de connaissances en économique. De plus, il doit puiser en anthropologie culturelle des connaissances sur les milieux et les cultures.

Tout ceci en plus de ce qu'il a appris au sujet de la production, de la mise en marché et de la finance, à l'école d'administration.

Les gestionnaires d'aujourd'hui, à quelque niveau qu'ils soient dans les organisations privées ou publiques, ont un besoin réel d'aide pour acquérir ces connaissances de façon organisée et systématique. Il est aussi très important d'établir les liens entre ces connaissances et leur application dans la vie concrète des organisations.

Gérald Lefebvre a fourni dans ce livre un cadre qui était nécessaire pour rencontrer ce besoin. Son orientation pratique, fondée sur sa vaste expérience comme conseiller-catalyseur, est enrichie par une bonne compréhension des disciplines mentionnées ci-haut. Il en résulte une perception claire et pratique de la science, de l'art et de la pratique du *management* pour les années '70.

Richard Beckhard
Massachusetts Institute of Technology
Sloan School of Management
août 1975

Première partie:
les notions de base

Chapitre 1

Devenir gestionnaire

Le besoin de structurer
Une transformation profonde
Un dilemme important
Prendre des risques

Nous vivons dans une société de plus en plus organisée. Le travailleur autonome, l'artisan, le cultivateur ne forment plus qu'une faible minorité de ceux qui travaillent. Les autres agissent dans le cadre d'« organisations » privées ou publiques presque toutes devenues complexes. Cette complexité provient de la taille de l'organisation, de sa technologie, de sa clientèle, de son type de personnel, des interrelations avec de nombreux éléments de son environnement. Ce phénomène est récent.

Il y a peu d'années une entreprise pouvait impunément s'isoler et se préoccuper presque exclusivement de servir sa clientèle et de faire des profits. La seconde révolution industrielle, celle de l'information, en multipliant les données dont il faut tenir compte dans le fonctionnement des organisations, en a rendu la gouverne plus exigeante.

Gérer *, c'est gouverner ou *veiller à ce que tout fonctionne pour le mieux.* Les trois exemples qui suivent, de même que l'analyse qui les accompagne, illustrent des aspects de la gestion qui présentent des difficultés.

Le besoin de structurer

Le président-directeur général d'une entreprise tenait à peu près les propos suivants lors d'une première rencontre avec un conseiller en gestion: « Lorsque nous nous sommes lancés en affaires, nous étions trois associés et nous avions en main un contrat. Notre but était clair et simple: créer une entreprise où nous pouvions faire ce que nous voulions. Il fallait obtenir des contrats et rendre d'excellents services à nos clients. Chacun des associés faisant sa part pour que ça marche. La coordination de nos activités ne posait pas de difficultés. Elle se faisait. Les communications entre nous étaient directes et fréquentes.

« Petit à petit l'entreprise a grossi. Notre compétence technique et notre détermination nous forgeaient lentement une renommée. Chacun des associés assumait un rôle différent en plus de continuer à fournir des services professionnels. Un de nous mettait l'accent sur l'obtention de contrats. Un deuxième se préoccupait surtout de l'excellence technique de nos travaux, alors que le troisième s'occupait d'administration, c'est-à-dire de l'embauche du personnel, des salaires à augmenter, de la location d'espace, des achats d'équipement et de fournitures, de la comptabilité et des autres aspects du fonctionnement d'un bureau. Souvent nous devions nous réunir en dehors des heures « régulières » de travail pour « régler des petits problèmes ». Ces réunions sont devenues fréquentes et longues. Nous y avons aussi associé d'autres collaborateurs.

*Les Américains utilisent le mot *management*. Administrer a le même sens mais avec une forte résonance bureaucratique. Diriger, par ailleurs, n'est qu'un aspect de la gestion. Nous avons retenu le mot gestion pour désigner l'ensemble des actions qui assurent la gouverne d'une organisation.

« Aujourd'hui, après dix ans d'existence, nous sommes plus de trois cents. Je ne peux plus prétendre connaître les antécédents et la valeur de chacune des personnes responsables de résultats significatifs atteints par l'entreprise. C'est donc dire que nous avons besoin d'une structure de direction avec un partage précis de responsabilités. La plupart de nos clients trouvent nos services excellents. Pour conserver cette excellence, il faut échanger de plus en plus d'informations entre nous et ainsi assurer une plus grande cohérence interne. Nous devons revoir et mieux articuler notre système de gestion. »

Cette entreprise était vigoureuse malgré ses difficultés de coordination et de communication. Ses dirigeants ont simplifié les fonctions de gestion, telles l'embauche et la direction du personnel, l'étude du marché et les offres de service, l'achat de fournitures et la planification à moyen terme. Ils obtenaient des contrats et ensuite mobilisaient le personnel en lui donnant de véritables responsabilités dans la réalisation des projets. La recherche de solutions idéales pour assurer la régulation interne de l'entreprise l'aurait sans doute alourdie. L'opportunisme de ses dirigeants lui a permis une croissance rapide. Aujourd'hui, cette façon rudimentaire de gérer est dépassée pour cette entreprise. Une plus grande structuration des parties composantes de même que des relations entre elles et avec le milieu externe s'impose. Son P.D.G. le reconnaît mais, en même temps, il redoute la rigidité et le gaspillage associés à la technocratie.

Il y a bien sûr un paradoxe. On craint qu'une structuration alourdisse et entrave le fonctionnement alors qu'elle doit viser à le simplifier. C'est une des difficultés que doit surmonter la personne qui veut devenir gestionnaire.

Compte tenu de leur complexité, les organisations, qu'elles soient petites ou grandes, ne disposent que de moyens de gestion dérisoires si on les compare à un idéal théorique. C'est probablement d'ailleurs ce qui explique que bon nombre de gestionnaires se sentent plus ou moins bien outillés pour accomplir leurs tâches de coordination. Ceci est d'autant plus vrai que le développement des ordinateurs et des systèmes d'informatique ont fait croire à une organisation parfaitement réglée, où les choix seraient faits de façon totalement rationnelle à partir d'un traitement adéquat de toutes les données. Ce mythe se dissipe heureusement peu à peu. Pour gérer, il faut privilégier certains aspects de la réalité au détriment des autres, il faut simplifier. Cette constatation est valable quelle que soit la taille de l'organisation et le niveau hiérarchique du gestionnaire. Le choix de privilégier tel élément est difficile à faire puisqu'il implique de renoncer à traiter de façon satisfaisante tel autre élément qui fait bel et bien partie de la réalité. C'est ce qui explique qu'en gestion il n'y a jamais *une* bonne solution mais plusieurs, et que la recherche de la forme « idéale » pour une organisation conduit à la « structurite », c'est-à-dire au changement continuel selon que l'on privilégie aujourd'hui tel élément de la réalité et demain tel autre. L'exemple qui suit illustre la difficulté que peut éprouver un spécialiste à devenir gestionnaire.

Une transformation profonde

Un ingénieur se retrouve, du jour au lendemain, gestionnaire d'un secteur important d'une agence gouvernementale. Il a sous sa direction plus de quatre cents personnes et un budget de l'ordre de cinq cents millions de dollars par an. Sa formation et son expérience ont fait de lui un homme concret.

Il est surtout préoccupé par les besoins des clients de l'agence. Plusieurs de ses collaborateurs trouvent que sa façon de voir est plutôt simpliste. D'instinct, il veut simplifier les rapports de la clientèle avec son organisation. Pour ce faire, il veut d'abord joindre la fonction de planification (qui relève d'une autre direction) à celle d'exécution de projets. Pendant près d'une année, il consulte son personnel. De multiples options sont échafaudées pour structurer les nouvelles tâches. Il vit une période difficile. Serait-ce son peu de connaissances ou d'expérience en gestion qui lui rend difficile ce choix fondamental ? C'est ce que voudraient lui laisser entendre, plus ou moins subtilement, plusieurs subordonnés. Finalement il arrêtera sa décision à partir de sa perception, certes simplifiée mais à notre avis très valable, des transactions importantes de son organisation. Il joue gagnant. Il apprend que la complexité du système dont il doit assurer la gouverne ne permet pas de réduire l'incertitude en prenant successivement des décisions « scientifiquement » correctes. C'est le modèle auquel son premier métier l'avait habitué.

Passer d'une orientation de spécialiste, c'est-à-dire de quelqu'un qui connaît le but spécifique de chaque acte qu'il pose et le résultat presque assuré de cet acte, à une orientation de gestionnaire, c'est-à-dire de quelqu'un qui se préoccupe du but d'un ensemble, exige un changement profond d'optique. Le spécialiste choisit l'action qu'il juge efficace pour atteindre tel objectif précis. Par exemple, pour régler la température de la pièce, le spécialiste installe un système de chauffage et de réfrigération dont le contrôle est assuré par un thermostat. La mise en place et le bon fonctionnement du système sont confiés à juste titre à l'ingénieur ou au technicien. Par ailleurs, le choix de la température précise d'une pièce où travaillent vingt personnes découlera de l'étude de plusieurs facteurs dont la nature du travail, la façon de se vêtir des personnes, les coûts de fonctionnement du système en différentes saisons et les préférences individuelles. Le chef de bureau qui doit décider de la température de la pièce choisit parmi différentes possibilités également pratiques. Le critère qu'il élira découlera, s'il prend la décision seul, essentiellement d'une préférence personnelle. Dans ce cas très simple, le chef pourrait déléguer cette décision aux personnes directement concernées, en précisant des contraintes comme les restrictions imposées par la crise d'énergie ou les modalités de la prise de décision. L'impact du choix entre une décision unilatérale et une délégation de la part du chef est prévisible, mais non certain.

Cet exemple banal nous aide à voir que le spécialiste a tendance à restreindre ses options avec certitude, à partir d'une logique convaincante sinon parfaite. Le gestionnaire, en choisissant, renonce à des possibilités également pratiques et efficaces.

Notre ingénieur, devenu cadre supérieur, fait rapidement l'expérience de cette transformation. Lorsque ses collaborateurs multiplient les options différentes de structure, il s'imagine, pendant un certain temps, qu'un consensus se formera autour de la « meilleure solution ». Comme gestionnaire, il découvre que les analyses aboutissent à multiplier les choix plutôt qu'à les réduire. Toutes les simplifications qu'il fera seront des risques.

Dans ce livre, nous présentons des modèles d'analyse qui débouchent sur des choix à faire. Lorsque le gestionnaire réussit à voir clairement la situation complexe dans laquelle il se trouve, il peut assumer plus allégrement les risques qu'impliquent ses décisions.

Devenir gestionnaire oblige le spécialiste à passer du « faire » au « faire faire ». Ce changement impose une forme ou une autre de délégation de responsabilités, en même temps qu'un contrôle sur les résultats obtenus. Délégation et contrôle constituent une troisième source de difficultés que nous exposons brièvement.

Un dilemme important

Quel gestionnaire faisant partie d'une grande organisation complexe n'a pas ressenti le besoin d'une plus grande autonomie pour adapter à sa mission la section, la division ou le service dont il a la responsabilité? Cette autonomie s'obtient, se récupère des « patrons » immédiats et des « grands patrons » qui doivent *décentraliser* davantage la prise de décision et le pouvoir de dépenser à l'intérieur d'un cadre budgétaire. D'autre part, quel gestionnaire n'a pas ressenti le besoin d'une meilleure coordination des éléments qui relèvent de lui, d'une intégration plus serrée des parties de son unité, d'une plus grande cohérence à l'intérieur de son secteur de responsabilité? Coordination et intégration appellent une plus grande *centralisation* des décisions importantes, un contrôle budgétaire plus serré.

Le gestionnaire se retrouve ainsi au centre du dilemme centralisation-décentralisation. En général, il souhaite que ceux qui occupent des postes hiérarchiques supérieurs au sien décentralisent davantage et, en même temps, il agit souvent lui-même dans le sens d'une plus grande centralisation au sein du secteur dont il est responsable.

D'ailleurs ce dilemme n'est pas nouveau, comme le savent fort bien tous ceux qui ont un tant soit peu d'expérience de la gestion.

A.P. Sloan, l'homme qui a fait de la General Motors la plus grande entreprise mondiale et le modèle classique de l'ère industrielle, soutient que le fondement d'une gestion efficace est de concilier la décentralisation et le contrôle. La décentralisation est nécessaire pour permettre aux cadres responsables suffisamment de liberté d'action. Comment expliquer que plusieurs grandes organisations, surtout industrielles et commerciales, favorisent la formation d'unités relativement autonomes, alors que d'autres grandes organisations, surtout publiques (tant ministères qu'institutions sociales et éducatives), tendent à rendre leurs parties composantes dépendantes des décisions et des procédures établies par un nombre restreint d'administrateurs du centre nerveux de l'organisation. Plusieurs facteurs expliquent cette différence. Il nous semble qu'un des plus importants réside dans le fait que pour les entreprises publiques, il est difficile de rendre suffisamment concrets les grands objectifs pour qu'ils puissent servir de dénominateurs communs contrôlables à tous les niveaux de l'organisation. Le « mieux être de la population » d'un secteur donné peut être interprété différemment par autant de personnes; tel n'est pas le cas d'un pourcentage de profit. La décentralisation nécessite une délégation, un transfert de la responsabilité: des résultats significatifs à atteindre plutôt que des actes à poser. Cependant, quand les résultats ne sont pas contrôlables de façon objective, c'est-à-dire quand les critères d'évaluation de l'atteinte des résultats ne peuvent faire l'objet d'un consensus, il en découle nécessairement un contrôle sur les actes à poser. A moins que les cadres ne renoncent au contrôle.

Ce dilemme centralisation-décentralisation est d'autant plus difficile à résoudre que la notion de décentralisation est associée à celles de liberté et d'autonomie, et la notion de centralisation à celles de contrôle et de téléguidage. Dans une société où la liberté individuelle constitue une valeur de plus en plus importante, ce débat se charge vite d'émotions.

Un exemple illustrera cette difficulté. Depuis plusieurs années, une institution d'enseignement connaît des soubresauts alors que ses parties constituantes se disputent le pouvoir de prendre telles ou telles décisions. Le nouveau directeur général reçoit le mandat de gérer selon un « modèle décentralisé ». En même temps, le législateur lui rappelle qu'il est « le premier et dernier responsable . . . ». Dans un milieu où l'on a l'habitude de manier la dialectique, la tentation est forte de développer d'abord un « modèle théorique » qui pourrait faire l'objet d'un consensus et ensuite, à partir de ce modèle, de procéder au partage de responsabilités précises. A notre avis, dans un contexte semblable, cette voie est sans issue. En effet, il faut prévoir qu'il sera très difficile de s'entendre sur le contenu d'un modèle théorique. De toute manière, quel que soit ce modèle et la manière d'y arriver, il sera suffisamment vague pour permettre ensuite le même blocage au niveau du partage des responsabilités particulières.

Le directeur général accepte de procéder de façon plus empirique: les résultats attendus de chaque cadre sont définis en présence de ses principaux interlocuteurs; un mécanisme est prévu pour trancher les aspects litigieux. Une fois les responsabilités de chacun clarifiées, la cohérence sera vérifiée en dégageant le « modèle d'organisation » sous-jacent.

Il en ressort un climat plus dégagé où chaque cadre a des responsabilités propres. Celles-ci pourront se traduire par des objectifs et des plans d'action. Le « modèle » est mixte — certaines responsabilités sont décentralisées, d'autres au contraire sont centralisées — mais le tout est cohérent. De plus, il est évident que la clarté de la nouvelle situation a un effet mobilisateur. Qu'y a-t-il de plus motivant que d'avoir des responsabilités?

Ce thème de la clarté du partage des responsabilités et des objectifs est présent partout dans ce livre. Ce partage demande du courage autant de la part de celui qui transfère des responsabilités que du côté de celui qui les accepte.

Prendre des risques

Devenir gestionnaire exige de maîtriser la difficulté qu'il y a à prendre des risques. C'est ce qui en fait un chemin ardu. L'acquisition de connaissances en gestion peut rassurer quant à la validité relative des options qui s'offrent dans un cas particulier; les risques qu'implique le choix à faire demeurent. Pour faire des choix lucides, le gestionnaire ne doit pas avoir peur. C'est en prenant des décisions que le gestionnaire acquiert la confiance en lui-même sans laquelle il est sans pouvoir. Et le gestionnaire doit exercer le pouvoir, c'est-à-dire être capable de choisir et d'agir.

Devenir gestionnaire est un processus sans fin.

Chapitre 2

Survol de l'évolution de la gestion

Le management scientifique
Le mouvement des relations humaines
L'approche-système

Les problèmes soulevés par le fonctionnement des organisations modernes ont fait l'objet de nombreuses études. Les diverses tentatives de solution se rattachaient à deux grandes écoles de gestion: celle du *management scientifique* et celle du *mouvement des relations humaines*. Ces écoles ont rendu service aux gestionnaires, mais se sont révélées insuffisantes dans le contexte des sociétés industrielles avancées. Depuis vingt ans, le développement d'une optique plus globale nous a amenés progressivement à voir l'organisation comme un organisme vivant plutôt que comme un automate.

Dans ce chapitre seront rappelés les traits caractéristiques de ces écoles afin d'aider le gestionnaire à mettre en perspective des techniques et des outils qui lui sont fréquemment proposés.

Le management scientifique

Le management scientifique est identifié aux études de « temps et mouvements » inaugurées par Frederic Taylor à la fin du premier siècle de la révolution industrielle. Taylor mettait l'accent sur la standardisation des opérations et sur une grande efficacité de la relation homme-machine fondée sur une philosophie du travail que l'on peut résumer en quatre points:

1. la tâche simple est l'élément de base de la structure de l'organisation; un analyste étudie ces tâches et identifie « la meilleure façon » de les exécuter; le travailleur fournit le muscle, le planificateur, le cerveau;

2. l'homme est en quelque sorte un prolongement de la machine, utile dans la mesure où la machine ne peut tout faire elle-même;

3. les tâches simples et leurs exécutants sont rattachés les uns aux autres par des surveillants qui doivent, en principe, neutraliser les déviations et les changements venant déranger le fonctionnement « idéal »; ces surveillants ont à leur tour besoin de surveillants et ainsi de suite, jusqu'à ce que toute l'organisation soit structurée;

4. le morcellement des tâches a pour but unique de réduire les coûts en réduisant les aptitudes requises des exécutants et en leur faisant répéter les mêmes gestes avec une grande efficacité: plus le processus de travail est simplifié, plus les coûts de production peuvent être réduits; les coûts indirects, plus difficiles à mesurer, sont rarement considérés.

Pour Taylor et ses disciples de l'organisation scientifique du travail, il existe une bonne façon d'effectuer un travail et c'est le rôle du gestionnaire de la trouver. L'accent est toujours mis au même endroit: la réduction des coûts.

Cette façon d'envisager la structuration du travail a connu sa période de gloire entre les deux guerres mondiales, dans les usines de production à la chaîne. Elle est d'ailleurs toujours présente et elle survivra puisqu'elle est fondée sur l'évidence même que la plupart des organisations peuvent être améliorées.

Depuis la Deuxième Guerre mondiale, la technologie de l'information a amorcé une seconde révolution industrielle: l'automatisation du travail intellectuel. La cybernétique et les méthodes scientifiques de gestion *(management science)*, telle la recherche opérationnelle, se sont développées. Même si le spécialiste de la gestion se préoccupe des objectifs d'ensembles de plus en plus grands, l'attitude fondamentale reste la même: une confiance illimitée dans la valeur suprême de la solution la plus rationnelle et la plus économique.

Chez les tenants du management scientifique, les stratégies de changement sont centrées sur les structures: on espère optimiser la performance en modifiant la structure et en améliorant la technologie. Les difficultés et les échecs sont expliqués par l'interférence des humains.

Les techniques de gestion issues du management scientifique — telles les études de temps et mouvements, les analyses coûts/bénéfices, la méthode du cheminement critique, l'application de la cybernétique aux systèmes mécaniques — sont des outils utiles, voire indispensables, mais aussi limités. En effet, le gestionnaire transige avec des ensembles dont les parties ne peuvent être traitées isolément les unes des autres. Ceci parce que leurs interactions sont des données importantes et aussi parce que ces ensembles comprennent toujours des humains et que le comportement de ceux-ci ne peut être programmé de façon simple, logique, linéaire, à moins de les enchaîner. Par ailleurs, il est admis que les méthodes analytiques de la science « classique » exigent que les interactions entre les parties étudiées soient nulles ou faibles et que les parties se comportent de façon linéaire *.

---

* Pour une discussion plus approfondie, voir Von Bertalanffy, L., *Théorie générale des systèmes,* Dunod, Paris, 1973, pages 16 et suivantes.

Il n'est pas étonnant que les solutions « idéales » contenues dans les rapports des spécialistes du management scientifique ne donnent que rarement les résultats escomptés. L'accent y est presque exclusivement centré sur la technologie.

Le mouvement des relations humaines

C'est en grande partie en réponse à l'aliénation du personnel causée par l'émiettement du travail, qu'est né aux Etats-Unis, vers 1930, le mouvement des relations humaines. On fit la « découverte » que le travailleur était humain, même au travail, et qu'il n'était pas insensible au fait d'être traité comme tel *.

Le mouvement mettait l'accent sur l'aspect social de l'entreprise, à peu près sans égard aux impératifs de la technologie. La méthode consistait à améliorer le climat général de travail et de relations interpersonnelles par la création de services marginaux et par l'usage d'un style de commandement plus permissif. Une des hypothèses principales de ce mouvement reposait sur l'idée que l'épanouissement des membres d'une organisation est naturellement compatible avec les buts de celle-ci, et que l'organisation, en s'attachant à satisfaire les aspirations des hommes, augmentait son propre dynamisme et sa prospérité. Cette théorie a amené certains chercheurs du mouvement des relations humaines à se demander quelles étaient les véritables aspirations des hommes.

Peu à peu, sous l'influence d'abord de Maslow puis de McGregor, l'école américaine en vint à présenter une vue optimiste de l'homme et de ses motivations: l'homme désire travailler; il est naturellement enclin à se développer, à s'actualiser et à assumer des responsabilités.

Cette préoccupation des relations humaines se fit encore plus pressante lorsque fut réalisé le plein emploi de la main-d'oeuvre

---

*A partir des expériences d'Elton Mayo et de ses collaborateurs dans les usines de la Western Electric de Hawthorne.

dans plusieurs pays industriels, après la Deuxième Guerre mondiale. Il fallait maintenant consulter les travailleurs, demander plutôt qu'exiger. Puisque le contremaître jouait un rôle de médiation entre la direction et les travailleurs, il allait être soumis à des stages de formation, lesquels s'inspiraient du mouvement des relations humaines qui met l'accent sur les styles de leadership, les attitudes interpersonnelles et la satisfaction des employés. La stratégie de changement était centrée tout entière sur les personnes. Les variables étaient le comportement et l'attitude, les valeurs avancées: l'égalisation du pouvoir, la collaboration, l'ouverture aux autres, la confiance, l'intérêt du groupe et la valorisation des phénomènes affectifs.

Il fut rapidement démontré qu'il ne servait à rien de vouloir transformer l'attitude des contremaîtres si celle des cadres supérieurs ne changeait pas elle aussi. D'où l'importance accordée aux relations humaines dans la formation des cadres au cours des années soixante. Le point de vue de la dimension humaine de l'entreprise, on le voit, était incompatible avec la théorie machiniste de l'organisation qui servait de base au management scientifique. La diffusion massive d'une vue optimiste de l'homme et de ses motivations fut donc un réel pas en avant.

Mais la seconde révolution industrielle — celle de l'information — créait de nouvelles tâches qui exigeaient autant d'initiative, autant de jugement, autant d'engagement des personnes à la base de la hiérarchie que des cadres intermédiaires et supérieurs. Les travailleurs devaient assumer de plus en plus de responsabilités dans le contrôle d'opérations complexes, tâches jusqu'alors réservées aux cadres. Le mouvement des relations humaines se révéla incapable d'établir un lien entre la vue optimiste de l'homme, les nouvelles tâches créées par la révolution de l'information et le fait que ces tâches continuaient à être conçues selon les principes de l'organisation scientifique du travail.

Peter F. Drucker, un conseiller en gestion qui a eu une influence prépondérante sur les courants modernes de pensée dans les entreprises, dans un ouvrage-synthèse (1974), fait une critique cinglante de l'utilisation, au cours des quinze dernières années, des concepts de Maslow et des hypothèses de McGregor. Il soutient que dans une organisation, c'est en fonction de résultats à atteindre — qui se traduisent par des tâches — que les personnes sont d'abord mobilisées.

> Le responsable qui dit ou qui agit comme si les besoins personnels de ceux qui travaillent sous sa direction passent avant les besoins objectifs en rapport avec la tâche à accomplir, est soit un menteur soit un mauvais gestionnaire. Le rare travailleur qui le croit est dupe.*

Le « réductionnisme » des tenants du mouvement des relations humaines est évident: il néglige les objectifs de l'ensemble et l'importance de la technologie.

L'approche-système

En définitive, c'est en fonction de résultats à atteindre et qui se traduisent par des tâches précises, que les membres d'une organisation sont mobilisés. Nous retrouvons là les trois composantes essentielles de toute organisation: des buts, des personnes et une technique (le *know-how* et l'équipement). Il nous semble inexact de poser le problème de la relation homme-organisation en termes d'une subordination des hommes à la technique, ou d'une adaptation de la technique aux hommes. Les résultats de l'organisation dépendent d'éléments indépendants les uns des autres, mais intimement reliés et en interaction.

Les techniques obéissent aux lois de la physique et de la chimie, les hommes aux lois de la biologie, de la psychologie et de la sociologie. Dès lors, comment comprendre les ensembles socio-techniques que sont les organisations? Le management scientifique trouve son inspiration dans les modèles des sciences exactes, qui permettent d'expliquer et de développer les systèmes physiques,

---

*Drucker, Peter F., *Management — Tasks, Responsabilities, Practices*, Harper and Row, New York, 1974, p. 245.

alors que le mouvement des relations humaines s'inspire essentiellement de la psychologie et de la sociologie lesquelles sont orientées, du moins en Amérique du Nord, vers la compréhension de. l'homme comme individu ou comme membre d'organismes informels.

C'est Drucker qui réussit, au cours des années cinquante, à mettre en évidence l'importance pour le gestionnaire de clarifier les buts et les objectifs de l'organisation dont il assure la gouverne. Le pilote d'un navire sait qu'il ne peut très longtemps « voguer sur les mers ». Pour que l'organisation subsiste, son bâtiment et ses hommes, doivent transporter des marchandises ou des passagers d'un port donné à un autre, dans des délais précis. Les buts et les objectifs de l'ensemble sont clairs. Drucker avait ainsi créé la « gestion par objectifs ».

Lors d'une enquête nationale, conduite au cours de l'été 1973 auprès d'entreprises de diverses tailles, la revue américaine *Administrative Management* découvrit que 83% des entreprises privées américaines géraient par objectifs. C'est du moins ce qu'ont affirmé les gestionnaires. Cette statistique fait état de l'importance qu'a prise en vingt ans l'idée lancée par Drucker.

Nous avons vu plus haut que les trois composantes essentielles de toute organisation sont: les *buts,* les *personnes* et la *technique.* En amenant les gestionnaires à réfléchir d'abord sur les buts réels de l'organisation dans son ensemble, Drucker appliquait à la gestion des organisations la façon de réfléchir de l'approche-système.

L'approche-système, c'est un mode de pensée globale, unifiante, où un système est d'abord analysé comme un tout avec un ou des buts, plutôt que comme une agrégation de parties. Aussi les relations entre les parties sont examinées avant que celles-ci soient décortiquées.

L'approche-système a connu un développement impétueux, particulièrement dans le cadre de grands projets comme la course à la Lune des Américains.

Il faut reconnaître que le besoin d'approches unifiantes se fait sentir dans plusieurs secteurs d'activités. Discutant des difficultés à l'échelle de notre planète, l'architecte-philosophe Buckminster Fuller écrit que même si nos échecs sont le résultat de nombreux facteurs, il est possible que le plus important soit imputable à la théorie selon laquelle la spécialisation est la clef du succès. Il ajoute que l'on ne prend pas conscience jusqu'à quel point cette idée nuit au développement d'un mode de pensée globale.

Pour assurer la gouverne d'une organisation, le gestionnaire doit être un généraliste. L'approche-système en offrant une façon de pensée globale et unifiante présente un attrait certain pour la gestion. Si l'on peut spontanément accepter qu'une organisation soit un système, sa complexité n'est sûrement pas la même que celle des systèmes physiques. De quel genre de système s'agit-il? Quelles en sont les caractéristiques? Comment appliquer aux organisations l'approche-système sans tomber dans le mythe promu par certains cybernéticiens de l'organisation parfaitement automatisée? Chercheurs et praticiens essaient de répondre de plus en plus clairement à ces questions. L'évolution de la gestion en est rendue là.

Chapitre 3

L'organisation: un système ouvert

Les différents types de systèmes
Les caractéristiques des systèmes ouverts
Définition de l'organisation en tant que système ouvert
Les frontières
Systèmes ouverts et approche-système

Les différents types de systèmes

Le mot « système » est partout. Il y a le système politique, le système de transport en commun de la ville, le régime d'assistance sociale, le système de chauffage de la maison, les systèmes et procédures au bureau et ainsi de suite. Le concept de système a pénétré dans tous les domaines et tous les vocabulaires. Nous avons eu l'occasion de vérifier à maintes reprises au cours de séminaires en gestion que le mot système est cependant associé surtout à l'automatisme et aux ordinateurs. Pourtant, l'être humain est un magnifique système comprenant un grand nombre de sous-systèmes (nerveux, cardio-vasculaire, musculaire, etc.). Il devient nécessaire de préciser ce qu'est un système. Nous nommons système, *un ensemble de parties coordonnées entre elles en vue d'at-*

teindre un but ou un ensemble de buts. Cette définition permet d'identifier un grand nombre de systèmes. Cependant, tous n'ont pas la même complexité et n'obéissent pas forcément aux mêmes règles. Une division des systèmes en trois grands types * permet de faire des distinctions utiles:

Type 1: Les systèmes dont les buts sont fixés par l'extérieur

> Le thermostat est un exemple simple de ce type. L'objectif de maintenir un niveau donné de température dans une pièce vient de l'extérieur du système. Toutes les machines font partie de ce type.

Type 2: Les systèmes où l'ensemble a une volonté propre face à l'extérieur, mais où chaque partie prise séparément n'en a pas

> La cellule, la plante, l'animal, l'humain en tant que systèmes sont des exemples de ce type.

Type 3: Les systèmes où l'ensemble de même que chaque partie ont des buts qui leur sont propres face à l'extérieur du système

> Les organisations sociales et culturelles sont des systèmes de ce type.

Les scientifiques de la révolution industrielle ont poussé très loin la création de systèmes du premier type. Ceux-ci sont des structures relativement autonomes qui peuvent être manipulées comme si elles étaient indépendantes des forces extérieures. Des systèmes « idéaux » ou «parfaits » peuvent ainsi être conçus.

Le management scientifique, en faisant de l'homme un prolongement de la machine, lui retirait la possibilité d'avoir une volonté

---

* La classification des systèmes en neuf niveaux, faite par K. Boulding, dépasse nos besoins.

propre, c'est-à-dire de penser et de prendre des décisions autres que celles déjà prévues. Les humains ainsi réduits à un rôle de machines sont vite aliénés. Il ne s'agit que d'évoquer la chaîne de montage ou le travail en miettes pour en avoir une représentation claire.

Les organisations comme telles sont des systèmes du troisième type: l'ensemble a des objectifs et chaque partie, c'est-à-dire chaque personne, chaque unité, chaque section, chaque division a une volonté propre. Ces objectifs multiples ne sont pas tous concordants et il n'est pas simple d'assurer un minimum de cohérence. On peut aussi facilement imaginer les difficultés que crée le pilotage des organisations à partir des lois régissant les systèmes du premier type où l'objectif, unique et simple, vient de l'extérieur.

Une des intuitions fondamentales de Von Bertalanffy fut de se rendre compte que dans les systèmes vivants — les types 2 et 3 — il est au moins aussi important d'identifier l'ensemble, la totalité des éléments et les relations entre les éléments que d'analyser indépendamment les attributs de chacun. La méthode scientifique classique a non seulement mené à la spécialisation, elle a aussi fait croire que si les « experts » parvenaient à décortiquer chaque partie et à la rendre la plus parfaite possible, tout irait bien dans l'ensemble. L'approche-système a remis en question cette prétention essentielle, et de caractère universel de la méthode scientifique.

> Les notions de totalité, de croissance, de différenciation, d'ordre hiérarchique, de domination, de commande, de compétition, etc., sont caractéristiques de l'organisation, que ce soit celle d'un être vivant ou d'une société. Ces notions n'apparaissent pas dans la physique conventionnelle *.

A la recherche de lois générales s'appliquant à tous les types de systèmes, Von Bertalanffy a établi une distinction entre les

---

*Von Bertalanffy, L., *Théorie générale des systèmes*, Dunod, Paris, 1973, p. 45.

systèmes, selon qu'ils dépendent ou non du milieu extérieur pour se maintenir.

La physique conventionnelle ne traite que de systèmes fermés, c'est-à-dire de systèmes considérés comme isolés de leur environnement. La thermodynamique déclare expressément que ses lois ne s'appliquent qu'aux systèmes fermés ... Un système fermé tend vers un état de distribution le plus probable. Cependant, la distribution la plus probable d'un mélange, disons de perles de verre, rouges ou bleues, est un état de désordre complet; il est hautement improbable d'obtenir un état où toutes les perles rouges soient séparées d'un côté et les bleues de l'autre ...

Cependant on trouve des systèmes qui par leur nature même et par leur définition ne sont pas des systèmes fermés. Tout organisme vivant est essentiellement un système ouvert. Il se maintient dans un flux entrant et un flux sortant continuels, une génération et une destruction de composants ... Evidemment les formulations conventionnelles de la physique ne s'appliquent pas, en principe, à l'organisme vivant considéré comme un système ouvert en état stable; il nous faut en outre supposer que beaucoup de caractéristiques des systèmes vivants, qui semblent paradoxales face aux lois de la physique, sont une conséquence de ce fait *.

Jusqu'à maintenant, les structures sociales ont été surtout considérées comme des systèmes fermés; on leur appliquait les méthodes d'analyse des sciences physiques. Ceci amenait les gestionnaires à concentrer leurs énergies sur les opérations internes des organisations, souvent au détriment des relations avec l'environnement. Si les lois de la physique conventionnelle sont des guides valables pour les systèmes fermés, à quelles lois les systèmes ouverts obéissent-ils? Von Bertalanffy a exposé les traits com-

*Von Bertalanffy, *op. cit.*, p. 37 et 38.

muns des systèmes ouverts. Il suffira de les résumer. Les biologistes modernes en ont établi la validité dans de nombreux textes et à plusieurs tribunes de sociétés savantes depuis quarante ans. Encore faut-il différencier les organismes biologiques et sociaux. C'est ce que nous tenterons de faire, après avoir énoncé les caractéristiques des systèmes ouverts, en proposant une définition des organisations.

Les caractéristiques des systèmes ouverts

1) Pour survivre, les systèmes ouverts doivent continuellement importer de l'énergie de l'environnement. Si une organisation tend à se suffire à elle-même, — à se fermer sur elle-même comme il arrive dans les organisations dites « bureaucratiques » — elle est vouée à la sclérose et éventuellement à la disparition.

2) Tout système ouvert transforme de l'énergie reçue de l'environnement et en retourne sous une forme ou une autre. Pour maintenir les activités, la source d'énergie doit être renouvelée. L'entreprise vend ses produits et obtient ainsi les moyens d'importer de l'énergie nouvelle sous forme d'hommes et de matériaux. Les organismes gouvernementaux ne dépendent pas, en général, du cycle vente-achat pour se maintenir, mais plutôt des décisions législatives.

3) Les échanges énergétiques d'un système ouvert avec l'environnement ont un caractère cyclique. Suivre le courant d'échanges permet d'identifier et d'analyser des structures sociales selon une méthode qui correspond à leur dynamique fondamentale.

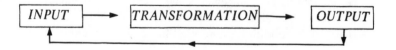

La structure d'une organisation est très influencée par la nature et le rythme de ses activités. Par exemple, le fait que les cycles de production soient unitaires, de masse *(batch)* ou continus, a un impact sur le nombre de niveaux hiérarchiques, le rapport entre les effectifs de supervision et les effectifs totaux.

4) La seconde loi de la thermodynamique nous enseigne qu'il existe un processus universel qui conduit toute forme d'organisation à la désorganisation et à la mort. Il s'agit de l'entropie. Les systèmes ouverts peuvent freiner ce processus en important plus d'énergie qu'ils n'en exportent, en se créant des réserves.

5) Les systèmes ouverts ont un mécanisme de rétroaction leur permettant de comparer les résultats obtenus aux résultats désirés. Le système peut se maintenir grâce à ce mécanisme de rétroaction qui signale les problèmes ou les difficultés.

   Autrement, il se déréglerait, consommerait des excès d'énergie et disparaîtrait. Les informations reçues de ce mécanisme de rétroaction sont forcément sélectives et la survie du système dépend de leur pertinence.

6) Les systèmes ouverts se caractérisent par la mise en place de régimes stables d'activités contrôlées par des processus semblables à l'homéostasie, processus qui régularise la température du corps humain. (Hans Selye définit l'homéostasie comme un « pouvoir de stabilité ».)

   D'après Selye, c'est le physiologiste français Claude Bernard qui fit remarquer, au siècle dernier,

   que l'environnement interne (ou milieu interne) d'un organisme vivant doit demeurer à peu près constant et ce, en dépit des changements dans son environnement extérieur. Il avait compris que « la fixité du milieu intérieur est la condition d'une vie libre et indépendante *.

---

*Selye, Dr H., *Stress sans détresse*, Editions La Presse, Montréal, 1974, p. 38.

7) Lorsqu'il y a menace de l'extérieur, le système ouvert puise dans sa réserve d'énergie pour s'adapter. La tendance est de s'adapter par croissance, par reproduction et par ingestion des forces menaçantes. Ceci expliquerait la tendance des organisations à croître.

8) Les systèmes ouverts tendent à augmenter la différenciation des parties composantes et à multiplier les rôles spécialisés. Ceci amène une mécanisation progressive qui diminue et peut même abolir une dernière caractéristique des systèmes ouverts: l'équifinalité.

9) L'équifinalité signifie qu'un système ouvert peut atteindre un même état final à partir de conditions initiales différentes et par des chemins différents. Cette caractéristique des systèmes ouverts est fondamentale et constitue un des principaux fondements du système de gestion par objectifs.

Définition de l'organisation en tant que système ouvert

Ce que nous nommons « organisation » comprend nécessairement des humains. Ceux-ci se regroupent afin de satisfaire certains besoins personnels. Dans sa forme la plus simple, elle se compose de deux personnes qui s'unissent pour offrir des services à une clientèle donnée. La nouvelle organisation a une certaine liberté de choix quant aux résultats qu'elle veut atteindre et aux moyens à utiliser. Les membres coordonnent leurs activités pour assurer des échanges planifiés avec les clients et les autres parties du milieu avec lesquelles ils doivent entretenir des relations. Très tôt, les deux personnes se partagent la responsabilité de décider et de prendre action dans des situations spécifiques. Cette répartition du travail accentue la nécessité de communiquer entre eux.

Cet exemple simple illustre et rejoint la définition donnée par deux professeurs de Harvard, P. Lawrence et J. Lorsch, à savoir qu'*une organisation, c'est la coordination des activités diverses de ses parties composantes pour assurer des échanges concertés avec l'extérieur.* Cette définition contient deux notions fondamentales: les parties composantes exécutent des tâches différentes, ensuite elles doivent communiquer entre elles afin de coordonner leurs activités.

Une organisation comprend, nous l'avons déjà vu, un *contenu* (buts, hommes, techniques) auquel il faut ajouter une *structure* (répartition des tâches), des *communications* et des *procédures de prise de décision.* Elle est aussi un système ouvert qui comprend d'autres systèmes ouverts (sous-unités et personnes) ainsi que des systèmes fermés (techniques et machines) et qui est en interaction dynamique avec son environnement. Cette description laisse entrevoir que la somme d'échanges et les options qui s'offrent à l'organisation sont tellement grandes qu'elles ne peuvent certainement pas toutes être programmées ou automatisées. Au fur et à mesure que l'organisation grandit et devient plus complexe, elle se structure davantage en créant des sous-systèmes. La cybernétique, qui est fondée sur le schéma de la rétroaction, peut assurer un contrôle automatique plus ou moins grand du fonctionnement des sous-systèmes. Le contrôle automatique permet d'assurer une plus grande efficacité mais, en même temps, diminue la possibilité d'adaptation et de réponse adéquate face à des situations changeantes. Nous rejoignons ici le débat centralisation-décentralisation que nous avons déjà évoqué. La cybernétique, jumelée aux idées soutenues par Taylor, a sûrement favorisé la centralisation des décisions.

La cohérence, c'est la qualité d'une organisation de permettre qu'un changement dans un de ses sous-systèmes entraîne des changements proportionnels dans les autres sous-systèmes. La cohérence commande un équilibre intelligent entre les régulations selon le schéma de l'interaction dynamique des processus et celui de la rétroaction (régulations automatiques).

Pour assurer la gouverne de son organisation, le gestionnaire doit, d'une part, planifier et régulariser les échanges avec l'extérieur et, d'autre part, assurer un minimum de cohérence entre les sous-systèmes internes. C'est pourquoi le rôle du gestionnaire est souvent comparé à celui *d'agent de frontières*. D'ailleurs, la définition même des limites ou des frontières d'une organisation est une tâche qui lui incombe.

Les frontières

La définition des limites ou des frontières d'une organisation est essentielle pour les trois raisons suivantes:

1) la délimitation des frontières force à définir la raison d'être et les objectifs de l'ensemble du système. Celui-ci existe pour assurer des échanges concertés avec l'extérieur, encore faut-il tracer la ligne entre l'intérieur et l'extérieur pour pouvoir le situer;

2) il faut pouvoir donner la même attention à tout ce qu'il y a à l'intérieur du système. Par exemple, il est plus facile pour certains de remarquer le surchauffement d'une machine que le stress de l'opérateur; pour d'autres, l'inverse est vrai. Il faut être également sensible aux deux phénomènes puisque ce sont des parties du même système;

3) plusieurs problèmes très pratiques dépendent des frontières d'une organisation (les coûts directs et indirects et le désir d'établir des standards ou des normes équitables).

Les frontières de l'organisation et de ses parties constituantes sont définies par les quatre critères suivants:

1) les objectifs communs et le « membership »

Les objectifs financiers de l'ensemble d'une entreprise peuvent servir à identifier les éléments qui font partie de l'organisation. D'ailleurs, sauf dans le cas d'organismes volontaires, les membres doivent soit contribuer financièrement à l'organisation, soit être rétribués par elle. Ceci permet de reconnaître les personnes qui sont vraiment à l'intérieur de l'organisme et celles qui ne le sont pas. S'agit-il de sous-traitants, de fournisseurs, de clients, de parents ou d'étudiants, la décision de les inclure ou pas à l'intérieur du système aura un impact sur les objectifs de l'ensemble. Ce choix est difficile parce que politique. On ne peut y arriver uniquement en appliquant des critères rationnels.

2) la technologie

Toutes les unités qui fabriquent un produit peuvent être regroupées dans un même sous-système: celui de la fabrication.

Toutes les personnes et les groupes qui assurent les opérations comptables peuvent faire partie d'un sous-système: celui des finances.

3) le territoire

Les unités de fabrication forment souvent des sous-systèmes en fonction d'usines facilement identifiables géographiquement.

4) les heures de travail

Les équipes de quart d'une usine de fabrication peuvent former des sous-systèmes même si elles partagent les unes et les autres un même territoire et une même technique.

Ces critères peuvent être utilisés séparément ou en les combinant. Dans un système ouvert, les frontières sont perméables et flexibles, plutôt qu'étanches et fixes comme dans un système fermé. L'ensemble est en interaction dynamique avec l'environnement, et il en est de même des sous-systèmes les uns par rapport aux autres. *La délimitation des frontières constitue une étape primordiale dans la définition ou la précision des objectifs d'une organisation et de ses sous-systèmes.*

Systèmes ouverts et approche-système

Il est évident que nous vivons dans un monde de systèmes. Il y a plusieurs types de systèmes et nous les retrouvons tous dans ce que nous appelons les organisations. Tous les systèmes n'ont pas la même complexité et les mêmes caractéristiques. Depuis la fin de la Deuxième Guerre mondiale, une théorie générale des systèmes a été soutenue par le biologiste Von Bertalanffy et élaborée par des savants de plusieurs disciplines. Ils ont marqué la différence entre les systèmes fermés et les systèmes ouverts. Les premiers sont considérés comme étant isolés de leur environnement alors que les seconds se maintiennent grâce à un échange continuel avec leur environnement. Le gestionnaire doit continuellement tirer parti de ces deux catégories de systèmes. Il est essentiel qu'il ne perde pas de vue que l'organisation dans son ensemble de même que ses sous-unités sont des systèmes ouverts. C'est d'ailleurs dans cette optique que fut développé le système de gestion présenté dans ce livre. La notion de l'organisation en tant que système ouvert permet de voir et de comprendre la complexité des organisations. L'approche-système, par ailleurs, est une façon de penser qui amène d'abord à identifier l'ensemble du système et ses objectifs, ensuite à préciser les contraintes externes (l'environnement) et internes (les ressources), et finalement à étudier les parties ou les composantes en fonction de leur contribution aux objectifs de l'ensemble.

L'approche-système s'ouvre sur une philosophie de fonctionnement pluraliste où les humains ne sont ni « les intelligences autonomes du cosmos » ni des robots. L'intelligence doit y trouver sa place et son chemin.

> La mise en évidence du côté créatif de l'être humain, de l'importance des différences entre individus, des aspects non utilitaires et situés au-delà des valeurs biologiques de subsistance et de survivance, tout ceci et bien d'autres choses se trouvent dans le modèle de l'organisme actif *.

---

* Von Bertalanffy, *op. cit.*, p. 198.

Le mot « système » évoque souvent une « robotisation » de l'homme. L'approche-système, telle que nous la concevons, est au contraire une démarche humaniste où l'homme n'a plus à s'enfermer dans un déterminisme « scientifique ». Un système de gestion fondé sur cette conception favorise une plus grande capacité d'agir, c'est-à-dire, plus de pouvoir pour les humains et ce, à tous les niveaux de l'organisation. C'est une perspective stimulante.

Chapitre 4

Les éléments de la gestion

Le rôle du système de gestion

Nous avons défini l'organisation comme *la coordination des activités diverses de ses parties composantes (individus et groupes) pour assurer des échanges concertés avec l'extérieur.* Cette coordination se fait

1) au moyen de techniques,

2) grâce à des personnes,

3) à l'intérieur d'une structure,

4) en vue d'objectifs.

Cette énumération permet d'identifier les principaux sous-systèmes de toute organisation.

La technologie est fondée sur les tâches à accomplir et comprend les connaissances et les aptitudes nécessaires, la machinerie et l'équipement de même que les locaux dans lesquels s'accomplissent les tâches. Le sous-système technique d'une usine de tapis est très différent de celui d'une raffinerie d'huile. Les exigences des tâches et la technologie d'un collège sont très différentes de celles d'un hôpital.

Les habitudes, les normes et les procédures contribuent à créer un climat pour les opérations au jour le jour. Ce climat dépend aussi du type de personnes que sont les membres de l'organisation, de leurs attentes et de leurs valeurs. Les relations entre les personnes constituent le sous-système social de l'organisation.

Les activités des personnes à la base sont structurées à partir des tâches à accomplir et de la technologie. La structure comprend, d'une part, la répartition des tâches entre les personnes et les unités et, d'autre part, les mécanismes de coordination entre ces unités et ces personnes. La structure, c'est donc l'arrangement des composantes d'un système dans un espace à un moment donné dans le temps.

La gestion, c'est le processus d'intégration des sous-systèmes: buts, technologies, ensemble social et structures.

Le système de gestion a donc essentiellement un rôle d'intégration. Il recoupe et relie les différents sous-systèmes de l'organisation et ce, à trois niveaux:

1) au niveau technique, c'est-à-dire au niveau de l'accomplissement des tâches: c'est le rôle du contremaître de production, du surveillant des comptables;

2) au niveau des unités * au sein de l'organisation; c'est le rôle des cadres intermédiaires;

3) au niveau des rapports avec le monde extérieur: c'est souvent le rôle du président et de ses collaborateurs immédiats.

---

*Voir définition, p. 59

Chaque niveau se caractérise par des exigences différentes. Le niveau technique est préoccupé de l'efficacité de la technologie afin de produire des biens et services. La perspective de temps est courte et les décisions aussi automatisées que possible. Les personnes du second niveau coordonnent et agissent comme médiateurs entre les demandes des deux autres niveaux. Finalement, dans les rapports avec l'extérieur, la perspective de temps est plus longue et la tâche consiste à aider l'organisation à s'adapter aux changements du milieu externe. Les décisions à ce niveau sont principalement basées sur des jugements.

La façon classique de diviser le processus de gestion en cinq fonctions, la planification, l'organisation, le ressourcement, la direction et le contrôle, est utile pour analyser la fonction de chaque gestionnaire mais elle ne permet pas de relier les trois niveaux du système de gestion les uns aux autres.

La définition du rôle de la gestion comme l'intégration des divers sous-systèmes nous amène à identifier les six éléments essentiels au processus de gestion.

Les éléments du système de gestion

Quels sont les éléments essentiels du système de gestion lui permettant d'intégrer les activités des divers sous-systèmes de l'organisation? Nous en avons retenu six:

(1) **la définition de la mission de l'organisation, de la raison d'être de chaque partie et des rôles individuels:** il s'agit de préciser les buts généraux de l'organisation, d'en assurer une connaissance commune et, ensuite, de faire de même au niveau des unités et des individus;

(2) **l'analyse de la situation à intervalles réguliers:** toute planification sérieuse repose sur une analyse de la situation présente et des facteurs qui auront une influence sur la période à venir;

(3) **la détermination d'objectifs:** c'est une des clés du management; il faut identifier les objectifs, les priorités, et déterminer ensuite les critères d'évaluation qui feront des objectifs de véritables outils de gestion;

(4) **l'élaboration de plans d'action:** les moyens à prendre pour atteindre les objectifs, incluant la précision des ressources nécessaires (humaines, financières, techniques);

(5) **l'auto-contrôle:** l'auto-contrôle vise à assurer que les moyens utilisés sont ceux qui ont été planifiés; l'auto-contrôle est donc relié directement aux plans d'action;

(6) **l'évaluation:** l'évaluation consiste à vérifier si les résultats désirés ont été atteints.

Les notions de l'approche-système nous aideront à garder constamment à l'esprit le rôle d'intégrateur de l'ensemble du système de gestion. Nous serons également amenés souvent à préciser les relations entre ces éléments de la gestion et entre les niveaux hiérarchiques. Plusieurs de ces relations contiennent de multiples variables qui ne peuvent être mécanisées, c'est-à-dire réduites à des choix simples, sans perdre leur sens véritable.

Les chapitres qui vont suivre, permettront de définir chacun de ces éléments et de décrire une façon de faire qui, nous l'espérons, fournira un minimum d'instrumentation au gestionnaire.

L'instrumentation proposée tient compte du fait que sauf au niveau technique, la prise de décision ou la régularisation dans une organisation (système ouvert) relève davantage du schéma de l'interaction dynamique des variables que du schéma de la rétroaction (cybernétique-mécanisation des processus). Elle se veut donc souple, modifiable et ouverte, tout en étant précise et opérationnelle.

L'engagement

L'organisation, qu'elle soit privée ou publique, doit accomplir une *mission* définie par ses divers mandataires. Cette mission se traduira dans des résultats à atteindre à court et à long terme. Par ailleurs, les personnes membres de ces organisations ont aussi des objectifs qui leur sont propres. Dans le contexte d'une société comme la nôtre, démocratique, industrielle, et même, dans certains secteurs, post-industrielle, ayant un niveau de scolarisation de plus en plus élevé, un haut pourcentage de personnes travaillant dans les organisations occupent des fonctions qui leur permettent d'être motivées par le désir de se réaliser, de contribuer au développement de la société, de faire oeuvre utile. En pratique, cette motivation s'exprime par la participation à la définition de ce qu'elles doivent faire et dans la recherche d'une autonomie d'action.

Les organisations modernes les plus saines et les plus dynamiques sont celles qui ont réussi à impliquer un nombre élevé de collaborateurs dans la réalisation des objectifs collectifs. Il peut être possible d'obtenir l'acceptation des autres mais il est impossible d'obtenir leur engagement en leur imposant des objectifs et des standards.

Il ne s'agit pas d'impliquer tout le monde dans tout. Il s'agit de favoriser la réflexion générale et de faciliter la formulation d'objectifs appropriés à chaque sous-système et à chaque individu à partir des objectifs de l'ensemble, eux-mêmes définis par le plus grand nombre possible de personnes.

Nous croyons que chaque membre de l'organisation, même s'il protège d'abord ses propres intérêts, veut aussi « mériter la bonne volonté et l'estime d'autrui * ». C'est en contribuant à la réalisation des objectifs communs qu'il se méritera cette bonne volonté et cette estime. C'est en participant à la définition des objectifs

---

*Voir l'ouvrage de Hans Selye déjà cité pour la preuve de cet énoncé.

qu'il développera son engagement.

Cinq principes

Le système de gestion décrit dans ce livre est fondé, d'une part, sur les concepts de l'approche-système énoncés dans le chapitre précédent et, d'autre part, sur les cinq principes suivants:

1. il est nécessaire de définir de façon explicite *la mission* et *les objectifs d'une organisation* (et de ses parties composantes);

2. il est possible d'intégrer de façon significative les objectifs de l'organisation à ceux des personnes qui en font partie;

3. il est souhaitable qu'il y ait un haut degré d'*engagement* du personnel, à tous les niveaux, envers les objectifs dont il est responsable;

4. il est nécessaire que chaque gestionnaire *participe* à l'élaboration des objectifs dont il sera responsable et qu'il soit consulté quant aux objectifs communs;

5. il faut que chaque gestionnaire ait un maximum d'*autonomie* dans la formulation des plans d'action et la mise en oeuvre des moyens pour atteindre les objectifs.

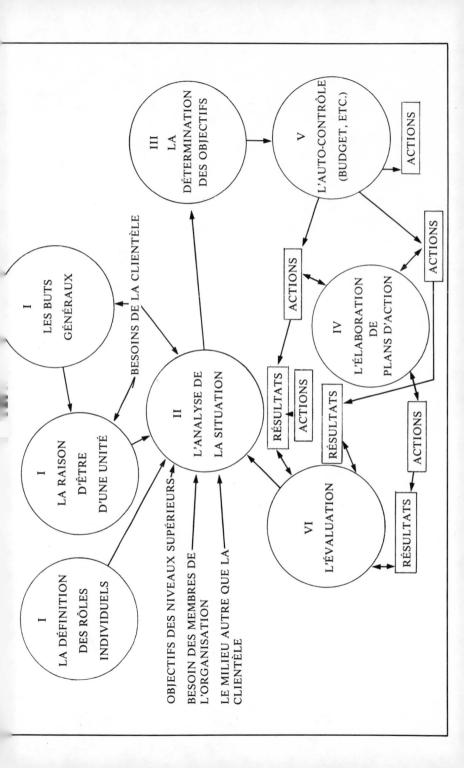

Deuxième partie:
le système de gestion par objectifs

Chapitre 5

La mission, la raison d'être des unités et les rôles individuels

La formulation des buts généraux
La raison d'être des unités
Divers types d'organisations et de sous-systèmes
La définition des rôles individuels

La définition, en termes précis, de la mission de l'ensemble d'une organisation et de chacune de ses parties — que nous désignerons désormais par le terme « unité * » — est une étape essentielle dans le processus de gestion. Quelle est la mission ou la vocation de l'organisation ou de l'institution? peut sembler être une question simple, sinon simpliste, dont la réponse doit être évidente. En réalité, il n'en est rien. Cette question est toujours difficile.

---

*Le terme « unité » désigne un sous-système d'une organisation, que constitue une entité hiérarchique, administrative ou technique, composé d'un ensemble de personnes travaillant sous l'autorité d'un même chef.

C'est aux cadres supérieurs qu'incombe la responsabilité de voir à ce que la mission soit définie, que sa formulation soit vraiment valide et qu'elle permette d'orienter correctement les objectifs. Il faut cependant reconnaître que la mission reçoit rarement l'attention qu'elle mérite et que cette lacune est une source importante de frustration pour les membres de l'organisation, en plus d'être la raison première de plusieurs faillites. Formuler la mission requiert en effet jugement et courage.

Les directions générales évitent souvent de préciser la mission parce que ce sujet peut facilement provoquer désaccords et controverses. En effet, il y a toujours des opinions diverses quant à la vocation d'une organisation, si petite soit-elle. Il y aura donc des choix à faire à partir de points de vue différents sur la nature de l'organisation et son environnement. Non seulement les cadres supérieurs, mais à peu près tous les membres de l'organisation ont une opinion qui peut être valable sur ce sujet. La direction générale cherche habituellement à éviter le risque de provoquer des débats incontrôlables.

La mission est toujours abstraite, qu'il s'agisse d'une entreprise privée ou d'un organisme public. Que ce soit « le service du client » ou « le développement de la personnalité de l'élève », ces énoncés ne sont pas mesurables. Ce sont des finalités ou des buts généraux à partir desquels des objectifs précis et plus limités pourront être élaborés. Réservons le mot *but* pour la définition de la mission de l'organisation. Cela facilitera la différenciation entre un *but* qui exprime une finalité et un *objectif* qui est un énoncé de résultats précis.

Chaque unité dans l'organisation doit contribuer à la réalisation des buts de l'ensemble, elle se doit d'y apporter une contribution unique. La définition de cet apport spécifique, c'est la raison d'être de l'unité.

L'organisation n'est pas uniquement composée d'unités, mais aussi d'individus. Chaque individu est responsable de l'exercice d'une charge: c'est-à-dire qu'il a une fonction à remplir, un *rôle*.

La définition de ces rôles individuels est essentielle au bon fonctionnement des unités et de l'organisation.

Les trois pièces de base qui ensemble constituent le premier élément d'un système de gestion sont:

1) les buts généraux;
2) la raison d'être de chaque unité;
3) la définition des rôles individuels.

Ces pièces s'articulent les unes aux autres; autrement il est difficile, sinon impossible, d'assurer une véritable cohérence au niveau des objectifs visés au cours d'une période donnée. On ne fixe pas des objectifs en vue d'améliorer le fonctionnement de l'organisation, mais d'abord et avant tout pour que sa mission se réalise.

La formulation des buts généraux

Le point de départ de la formulation des buts généraux, c'est la définition de la clientèle. Qui est-elle? Quels besoins de cette clientèle l'organisation veut-elle satisfaire? Il faut définir les buts de l'organisation d'abord à partir de l'extérieur, du point de vue du client et du marché.

La personne qui consomme le produit ou reçoit le service est toujours un client; elle n'est jamais le seul client. Il y en a habituellement plusieurs. Le fabricant de tapis vend à l'entrepreneur en construction et à l'acheteur d'une maison. Le fournisseur de produits alimentaires vend aux épiciers et aux consommateurs. La banque doit avoir des épargnants et des emprunteurs. Le collège doit satisfaire les élèves et le ministère de l'Education, sans compter les parents et le milieu. Les buts généraux doivent tenir compte de tous les principaux clients.

Il faut également se demander ce qui motive le client. Celui qui achète un tapis veut-il d'abord décorer sa maison ou recouvrir un parquet à peu de frais? L'étudiant veut-il surtout une formation ou un diplôme? (Dans certains cas, l'étudiant peut même rechercher un endroit où passer une année ou deux, en attendant de se trouver un emploi.)

Ensuite, il faut se demander à quoi tient la satisfaction du client. Cette question diffère de la précédente: il s'agit de définir la *qualité* requise par le client.

Enfin, les buts généraux seraient incomplets s'ils ne tenaient pas compte des principales demandes ou contraintes provenant des actionnaires et des pouvoirs publics dans le cas des entreprises privées, et des gouvernants dans le cas des entreprises publiques.

En résumé, pour définir la mission d'une organisation, il faut poser les questions suivantes:

1. **qui sont les clients?**
2. **quels sont les demandes** ou les besoins des clients exprimés sous forme de produits ou de services?
3. **quels attributs** doivent avoir les produits ou les services pour que les clients soient satisfaits?
4. **quelles sont les exigences des milieux** dans lesquels l'organisation s'insère?

Ces questions concernent toutes l'essence même de l'organisation. On pourrait croire négligés les besoins, les aspirations et les valeurs des personnes qui forment cette organisation. Cette lacune n'est qu'apparente, puisque ces besoins, aspirations et valeurs vont colorer le contenu des buts généraux, car leur formulation est un processus interne.

Qui donc dans l'organisation doit participer à la définition de la mission? L'idéal, c'est que tous les employés soient consultés, qu'on leur demande leur avis et qu'ils participent activement au processus de définition. En pratique, surtout lorsque les membres de la direction n'ont pas l'habitude de se poser ces questions fondamentales, il est souvent préférable de limiter la consultation aux deux ou trois paliers supérieurs de la hiérarchie. Dans les organismes publics, l'on peut et l'on doit consulter les principaux clients. Par exemple, dans une commission scolaire, les élèves, les parents, les enseignants ainsi que la direction peuvent et doivent être consultés par les commissaires avant que ceux-ci énoncent la mission ou les buts généraux de l'organisation.

La définition de la mission n'a pas à être reprise à zéro au début de chaque cycle de planification. Il suffit habituellement de la revoir et d'y apporter les modifications demandées par les changements de contexte. Par ailleurs, lorsque le mandat d'une organisation est transformé, lorsqu'une crise est à prévoir ou lorsque les affaires sont très bonnes, il est vital de redéfinir les buts généraux avant d'analyser la situation et de fixer des objectifs.

Les buts généraux permettent à la direction générale d'identifier les *domaines clés* où l'atteinte de résultats est une condition *sine qua non* de progrès ou même de survie. Cette notion de *domaines clés* se retrouvera au niveau des unités, des sous-unités et des responsabilités individuelles.

La raison d'être des unités

La définition de la raison d'être de chaque unité est semblable, en importance, à la définition des buts généraux de l'ensemble de l'organisation. En fait, il y a une hiérarchie des buts qui fait que ceux de l'ensemble sont décomposés dans ceux des divers sous-systèmes, unités, ou services. Il faut toutefois se garder de se baser sur la raison d'être des sous-systèmes pour définir la mission de l'ensemble. Au contraire, c'est à partir de la mission de l'ensemble que chaque unité peut tailler sa place et apporter sa contribution spécifique.

Les raisons d'être des unités doivent également refléter leurs attentes les unes par rapport aux autres. Pour cette raison, les raisons d'être doivent être négociées entre responsables d'unités. Ceux-ci hésitent fréquemment à entreprendre une telle démarche par crainte d'y laisser des morceaux. En réalité, lorsque les raisons d'être des unités sont discutées ouvertement et franchement, il est très fréquent de retrouver deux unités qui prétendent rendre le même service au même client. La clarification des raisons d'être des unités permet d'éliminer ces dédoublements qui sont souvent la cause de conflits intergroupes. Il faut aussi noter — et cet aspect est peut-être plus important encore — que souvent des éléments importants des buts généraux ne se retrouvent pas dans les raisons d'être des unités prises une à une. Le cas échéant, il est essentiel que ces éléments soient intégrés.

La clarification de la raison d'être des unités, ou leur révision, est donc une étape nécessaire dans le processus de planification.

La raison d'être des unités doit:

1. **préciser qui sont les clients de l'unité:** ces clients peuvent être de l'extérieur et/ou de l'intérieur de l'organisation;

2. **énumérer les produits** ou services que l'unité doit produire ou offrir; cette énumération permet de spécifier les domaines clés de l'unité, sauf évidemment ceux qui concernent le fonctionnement interne;

3. **situer l'unité dans l'organisation:** indiquer les liens qui la rattachent aux autres unités, tant par la structure formelle de l'organisation que par d'autres moyens d'intégration tels les comités *ad hoc,* les comités permanents, les équipes de direction.

Notre pratique de conseiller auprès de plusieurs unités dans différentes organisations nous a démontré l'efficacité de la démarche suivante pour les aider à définir leur raison d'être:

Faire préparer:

1. la liste des clients de l'unité;

2. la liste des services ou produits qui sont demandés présentement par ces clients;

3. la liste des services ou produits que l'unité offre présentement.

Après avoir été comparées à celles des autres unités de l'organisation, ces listes peuvent devenir l'énoncé de la raison d'être.

La principale difficulté rencontrée est souvent la définition des clients. Il n'est pas rare que des gestionnaires soient incapables de percevoir d'autres unités au sein même de l'organisation, comme des « clients ». Y parvenir peut contribuer à modifier, sinon à transformer, les attitudes des unités les unes par rapport aux autres.

Ce qui est écrit plus haut quant à l'inclusion des besoins, des aspirations et des valeurs des personnes dans la mission s'applique également à la raison d'être d'une unité. Il en découle qu'il est souhaitable que le plus grand nombre possible de membres d'une unité participent à cette définition. La démarche doit être faite au début de chaque cycle de planification. Elle est un prérequis en vue d'en arriver à une analyse de la situation, à des objectifs et à des plans d'action axés sur les buts de l'ensemble, plutôt que sur le maintien de structures ou de tâches plus ou moins utiles. A moyen terme, les unités, dont les responsables n'ont pas la clairvoyance et le courage de s'engager dans une définition de la raison d'être en fonction de leur clientèle, sont vouées à la sclérose et à la disparition.

Divers types d'organisations et de sous-systèmes

La définition de la mission d'une organisation et de la raison d'être de chaque unité est tout aussi importante pour les organismes publics que pour les entreprises privées. L'opération est difficile dans les deux cas, mais plus exigeante dans le cas d'organismes publics. En effet, se centrer sur la clientèle est plus facile et plus naturel au sein d'entreprises privées qui sont payées lorsque le client est satisfait que dans les institutions de service qui reçoivent leurs fonds à même des subventions statutaires. De plus, dans ce dernier cas, le client-bénéficiaire n'a généralement pas le choix entre plusieurs institutions. C'est surtout pour cette raison que plusieurs ministères et organismes gouvernementaux évoluent vers un système de récupération des coûts: les ministères-clients doivent payer les services des ministères-fournisseurs; ils ont même parfois le choix d'obtenir ces services d'ailleurs. L'existence d'un réseau d'enseignement privé parallèle au réseau public et fortement subventionné par l'Etat force également le secteur public à tenir compte des besoins et des aspirations de la clientèle. Ce dernier exemple soulève bien sûr des questions d'ordre démocratique qu'il n'est pas opportun de traiter ici.

Les unités de soutien *(staff)* ont généralement plus de difficulté à préciser leur raison d'être de façon satisfaisante pour elles et pour les unités qu'elles doivent soutenir ou aider. Cette difficulté est un indice que la définition de la raison d'être de ces unités est essentielle à la formulation d'objectifs qui soient vraiment une contribution positive. Lorsque ces unités ne réussissent pas à définir leur raison d'être de façon satisfaisante pour la direction générale, il s'ensuit qu'elles doivent être transformées, sinon éliminées.

Exemple de la raison d'être d'une unité

Dans une entreprise multinationale du secteur de l'énergie, le service de commerce en gros et de mise en marché pour l'Est du Canada a défini sa raison d'être de la façon suivante:

> Vendre le produit de X (désignation des unités de transformation) selon les capacités de production prévues, en obtenant le maximum de profits. La priorité des clients est la suivante:
>
> 1 — le service à domicile;
> 2 — les agents à commission;
> 3 — les revendeurs de produits codés;
> 4 — les consommateurs industriels;
> 5 — les revendeurs de produits non codés.

A partir de ce but, la direction de ce service identifia les domaines clés suivants pour l'année 1974-1975:

> 1 — nouveaux produits à développer:
> • installations,

- services de consultation aux clients,
- diversification;

2 — produits actuels (niveaux de vente à maintenir ou à augmenter);

3 — produits actuels à rationaliser ou à éliminer;

4 — rationalisation dans le choix des clients;

5 — réorganisation des territoires;

6 — amélioration de la structure du service;

7 — définition des objectifs de tous les membres du service;

8 — planification du personnel et des avantages sociaux;

9 — formation du personnel du service dans la gestion de nos affaires, c'est-à-dire agences;

10 — la connaissance, chez notre personnel, de l'impact sur la clientèle de la crise de l'énergie.

Commentaire

La raison d'être décrite ne contient pas tous les éléments souhaités plus haut; cependant elle exprime clairement l'aspect clé, vendre, en précisant deux contraintes: les capacités de production (particulièrement importantes à cause de la crise de l'énergie) et l'obtention de profits maximaux. De plus, la raison d'être est centrée sur la clientèle.

Les domaines clés comprennent d'abord les produits à vendre, et ensuite la clientèle; ils comportent aussi des problèmes particuliers. On peut prévoir qu'il y aura des changements dans ces domaines à l'occasion d'une planification ultérieure.

La définition des rôles individuels

Une fonction, d'après le petit Larousse, c'est « l'exercice d'une charge », « l'action propre à chaque organe ». Chaque membre de l'organisation a donc une *fonction* à remplir. La définition précise de la fonction de chaque gestionnaire est évidemment nécessaire. Dans un grand nombre d'organisations, cette clarification est faite au moyen d'une « description de tâches ». Conformément à l'option fondamentale de mettre l'accent sur les résultats attendus, cette description doit être remplacée par une *définition de rôle* reliée à la raison d'être de l'unité au sein de laquelle s'accomplit ce rôle.

Le mot *rôle* est utilisé plutôt que *fonction* pour accentuer l'aspect dynamique et changeant. Un rôle se modifie, se négocie, prend la couleur, au moins en partie, de l'acteur; au contraire, une fonction a une qualité permanente et statique correspondant rarement aux changements quasi continuels que l'on retrouve dans toutes les organisations. Par ailleurs, décrire les tâches d'un ouvrier qui doit toujours répéter les mêmes actions a un sens, mais le faire pour un gestionnaire mène à vider l'organisation de son initiative et de sa flexibilité. Il n'est pas étonnant que les descriptions de tâches des gestionnaires soient toujours jugées désuètes. Par contre, un rôle doit se transformer à la lumière des situations nouvelles et des attentes changeantes. Le gestionnaire doit être le premier responsable de la mise à jour constante de sa définition de rôle.

La définition de rôle comprend:

1. **la raison d'être de ce rôle:** quelques phrases décrivant la raison d'être du poste;

2. **les responsabilités spécifiques:** à l'intérieur d'un ou de plusieurs des domaines clés de l'unité à laquelle est rattaché le rôle, quels sont les *principaux résultats attendus du titulaire?* Par exemple, si le domaine clé est de « développer de nouveaux produits », le titulaire d'un rôle peut être responsable « d'avoir défini la réaction de la clientèle à chaque nouveau produit rendu à l'étape 3 de développement ». Il va sans dire que les titulaires de deux rôles différents ne peuvent pas être *responsables* de la même contribution. A cette fin, il est essentiel que

cette contribution soit décrite en termes de *résultats* et non d'activités;

3. **les limites de son autorité:** l'autorité étant le pouvoir légitime, il est important dans une grande organisation de spécifier certaines limites, le plus souvent financières; le gestionnaire doit prendre pour acquis qu'il a les pouvoirs nécessaires pour atteindre les résultats dont il est responsable, sauf dans les cas où les limites sont explicitées;

4. **les mécanismes d'intégration:** de qui relève le titulaire? de quelle(s) équipes(s) est-il membre? quelles personnes relèvent de lui? avec qui le titulaire doit-il intégrer directement (sans nécessairement référer à son supérieur hiérarchique) ses objectifs et ses activités?

5. **les principales tâches:** une liste des tâches les plus importantes et de celles qui demandent le plus de temps;

6. **les défis:** quels sont les principaux défis que le titulaire doit affronter dans son travail?

Pour le gestionnaire, cette définition de rôle constituera un outil de vérification de la validité de ses objectifs individuels. Ce sont toutefois ses objectifs individuels qui devront servir d'outil principal d'intégration à son unité et à l'organisation.

Les trois pièces de base qui forment le premier élément du système de gestion ne reçoivent que rarement toute l'attention qu'elles nécessitent. Pris dans le feu de l'action, les gestionnaires font des choses et réalisent des objectifs qui permettent souvent à l'organisation de se maintenir ou de se développer, sinon de remplir de façon satisfaisante la mission qui lui incombe.

Ensemble, les buts généraux, la raison d'être de chaque unité et la définition des rôles individuels constituent la structure de base de l'organisation. Cet élément du système de gestion est donc un moyen important utilisé par les gestionnaires pour définir et communiquer ce qui est attendu de tous et chacun.

Chapitre 6
L'analyse de la situation

Définition

Chaque membre doit contribuer à la réalisation des buts généraux de l'organisation. Pour que tous agissent dans le même sens, sans dédoublement inutile d'efforts, ces buts doivent être traduits en termes d'objectifs précis, tangibles et mesurables. Ces objectifs ne s'harmonisent pas spontanément. Au contraire, la division du travail et la spécialisation des rôles, la structure hiérarchique avec son impact sur les relations interpersonnelles, les différentes façons de rémunérer les employés pour leur travail, voilà autant de facteurs qui, dans toutes les organisations, divisent et éparpillent les efforts ou diffusent les objectifs. Pour contrer cette dispersion, il faut un concept de planification valable et une démarche rigoureuse. Au chapitre précédent, est décrit le premier élément de cette démarche, qui consiste à préciser la *mission* de l'organisation, la *raison d'être* de ses parties composantes et les *rôles* individuels. Le second élément essentiel, c'est l'ANALYSE DE LA SITUATION.

Toute planification sérieuse repose en effet sur une analyse de la situation existante et sur une projection des forces qui auront une influence au cours de la période qui fait l'objet de la planification.

L'analyse de la situation, c'est l'opération qui consiste à réviser la situation présente d'une organisation, d'une unité ou d'une personne, en fonction:

a) de la mission de l'organisation, de la raison d'être de l'unité, ou du rôle de l'individu, selon le cas;
b) des objectifs de la période précédente et des résultats atteints;
c) des besoins actuels et futurs de la clientèle;
d) des objectifs de l'ensemble plus grand auquel cette organisation, cette unité ou cette personne appartient.

Cette démarche permettra d'identifier les situations qui feront l'objet d'objectifs.

L'équipe de direction procède à une analyse de la situation de l'organisation en vue d'en arriver à des objectifs d'ensemble. Font partie de cette équipe: le directeur général et les personnes qui relèvent immédiatement de lui, habituellement les responsables des grandes unités opérationnelles et les chefs fonctionnels (gestion financière, personnel, mise en marché, production). De concert avec ses collaborateurs immédiats, chaque responsable d'unité fait de même pour son unité, et ainsi de suite à chaque palier hiérarchique. De plus, chaque gestionnaire doit également faire une analyse de sa situation en vue d'en arriver à des objectifs individuels.

Opérations nécessaires

Quelle que soit la méthode utilisée, l'analyse de la situation comporte une série d'opérations consécutives qui peuvent être décrites de la façon suivante:

1. l'identification des *domaines clés,* en tenant compte des buts généraux, de la raison d'être de l'unité ou de la définition du rôle, selon le cas;

2. la description des *résultats obtenus* dans ces domaines clés, au cours de la période précédente;

3. l'appréciation des résultats obtenus en fonction des *résultats visés* et de la *satisfaction* de la clientèle desservie;

4. l'identification des situations qu'il faut *maintenir, améliorer* ou *changer,* au cours de la prochaine période (cette période doit être précisée);

5. l'identification de *situations nouvelles* qu'il faut créer ou provoquer ou auxquelles il faudra faire face;

6. parmi ces situations (identifiées en 4 et 5), la détermination de celles qui devront faire l'objet d'objectifs.

Méthodologie

Il va sans dire qu'il n'y a pas de méthode d'analyse universelle pour toutes les situations. Une expérience prolongée de conseiller auprès de plusieurs équipes de direction, de niveaux hiérarchiques différents et dans des entreprises privées aussi bien que dans des organismes publics, nous a amenés à aider ces entreprises à développer une instrumentation adaptée à leur contexte. Il en ressort trois méthodes. Le gestionnaire choisira celle qui lui convient, la modifiant au besoin pour l'ajuster à sa situation.

Ces méthodes ont été conçues principalement pour être appliquées en équipe. Cette notion d'équipes de gestion sera élaborée au chapitre 12. Retenons pour l'instant qu'une équipe de direction se compose d'un gestionnaire et de ses collaborateurs immédiats relevant directement de lui.

Méthode A — Relevé des problèmes et des occasions favorables

Pour procéder à l'*analyse de la situation,* l'équipe de direction doit déjà avoir en mains un énoncé des *buts généraux* de l'organisation et de la *raison d'être* de l'unité qu'elle dirige.

1ère étape

Chaque membre de l'équipe prépare les documents suivants:
a) la liste des problèmes que rencontre présentement l'unité;
b) la liste des problèmes à prévoir au cours de la période pour laquelle l'unité veut établir une planification;
c) la liste des occasions ou situations favorables actuelles, ainsi que de celles qui sont prévisibles au cours de la période en question.

2e étape

En équipe, chaque membre explique sa liste. On fait un regroupement des sujets, sans perdre de vue la spécificité des listes individuelles.

Pour une équipe composée de six à dix membres, cette étape exige habituellement au moins une journée de travail. Chaque membre de l'équipe s'engage ensuite à réfléchir sur ce relevé et à indiquer individuellement les problèmes et les occasions favorables prioritaires pour l'unité.

3e étape

L'équipe se réunit de nouveau et chacun présente ses priorités. Lorsque le tableau est complet, l'équipe s'emploie à dégager les priorités pour l'unité. L'idéal est évidemment d'arriver à un consensus, bien que cette situation se rencontre rarement sur tous les sujets; le chef de l'équipe doit alors assumer sa responsabilité.

Cette troisième étape fournira *une liste de situations qui serviront de base à la définition d'objectifs.* Entre vingt et trente situations habituellement.

Commentaire

Cette méthode simple peut être utilisée à quelque niveau hiérarchique que ce soit. Par contre, elle n'offre aucune assurance que l'analyse soit vraiment complète et qu'elle mette l'accent sur la clientèle de l'unité. Au contraire, les situations retenues seront surtout du type fonctionnement interne, telles: politiques d'embauche, de formation et d'évaluation du personnel, méthodes de contrôle budgétaire, planification de carrières.

Cette méthode peut être très appropriée lors des premières tentatives en vue d'en arriver à des objectifs explicites.

Méthode B — Analyse par domaines clés

Lorsque plusieurs unités sont semblables au sein d'une organisation, il est souvent utile de proposer un modèle d'analyse par domaines clés afin de faciliter la tâche aux gestionnaires. Ce modèle peut fournir, à titre indicatif, une liste des domaines clés de ces unités et servir ainsi de point de repère pour entreprendre l'analyse.

Ce modèle comprend cinq étapes:
1. le choix des domaines clés;
2. la description de ce qui s'est fait à l'intérieur de chaque domaine, au cours de la période précédente;

3. l'évaluation des résultats;
4. l'identification des situations à maintenir et des situations à changer;
5. le choix des priorités.

Les domaines clés

Ces domaines représentent des secteurs tels que la production de biens ou de services, la gestion financière, la gestion et la formation du personnel, la recherche et le développement de nouveaux biens et services, l'administration interne, dans lesquels des résultats significatifs sont attendus de l'unité en question. Chaque domaine comprend diverses opérations et tâches, assumées par les membres de l'unité. Par exemple, à l'intérieur du champ gestion financière, le budget peut comporter une série d'opérations: la préparation et la présentation des prévisions budgétaires, l'administration du budget alloué et ainsi de suite. La première étape consiste à faire l'accord quant aux domaines clés de l'unité.

La description de ce qui s'est fait

Au cours de la dernière période (habituellement une année), plusieurs opérations ont été exécutées dans chacun des domaines clés et des résultats ont été obtenus.

Il s'agit de retracer les données les plus significatives de cette période et de décrire brièvement ce qui s'est fait et les résultats qui ont été obtenus. Par exemple, par rapport à l'élaboration du budget, on peut examiner comment les prévisions ont été préparées, comment elles ont été discutées avec les responsables; quant à l'administration du budget, les questions pourraient être: quel a été le degré d'autonomie dans la gestion du budget octroyé à chaque sous-unité? Le budget a-t-il été insuffisant ou trop élevé? Si oui, pourquoi et quels critères ont été utilisés pour le modifier?

Cette étape peut être accomplie en équipe. Elle peut aussi être faite individuellement, selon la répartition des responsabilités pour les domaines clés; elle gagne alors à être suivie d'une mise en commun.

Evaluation des résultats

Lorsqu'on a décrit ce qui s'est fait et les résultats obtenus, il faut évaluer les aspects positifs et négatifs.

Certaines opérations se sont vraisemblablement révélées satisfaisantes parce qu'elles ont produit le résultat attendu. D'autres ont pu s'avérer insatisfaisantes soit parce que les personnes concernées n'ont pas suffisamment collaboré, soit parce que la façon de procéder n'était pas la plus appropriée, soit encore parce que l'opération n'a pas répondu aux besoins ou aux attentes de la clientèle visée.

Il s'agit donc de faire une évaluation aussi complète que possible pour chacun des domaines clés.

Il est important que cette étape, ainsi que les suivantes, soit faite en équipe. On doit s'attendre à ce que cette évaluation provoque des tensions au sein de l'équipe, parfois même des conflits. Le cas échéant, il est souhaitable d'explorer ces conflits à fond, plutôt que de tenter de les étouffer: ils sont souvent des sources d'énergie créatrice et des pistes intéressantes pour de nouveaux objectifs.

L'identification des situations à maintenir et des situations à changer

Il s'agit maintenant de noter les situations qui doivent être maintenues et celles qui doivent être changées, au cours de la prochaine période, et qui devront faire l'objet d'un objectif à l'intérieur de chaque domaine clé.

Il ne s'agit toutefois pas encore de les exprimer sous forme d'objectifs, bien que le fait d'avoir identifié des points faibles permette déjà d'indiquer le sens du changement souhaité ou de désigner les nouveaux résultats à atteindre.

Les priorités

Une équipe de direction ne peut évidemment pas investir des

énergies nouvelles dans tous les secteurs à la fois; des choix s'imposent parmi les situations analysées et retenues.

L'analyse de la situation ayant permis de faire un tour d'horizon de ce qui s'est fait, d'apprécier les actions qui ont été menées et les résultats produits, il devient nécessaire de choisir les situations qui feront l'objet d'une attention particulière de la part de l'unité au cours de la prochaine période. Elles feront l'objet d'*objectifs*.

Pour sélectionner ces situations et les disposer selon un ordre de priorité, on devra tenir compte de certains facteurs:

— les domaines prioritaires sur lesquels l'organisation, dans son ensemble, veut mettre l'accent au cours de la prochaine période;

— les objectifs poursuivis par les autres unités de l'organisation;

— la raison d'être de l'unité concernée;

— les situations qui constituent un sujet d'intérêt pour l'équipe en question;

— les besoins exprimés par les autres membres de l'unité;

— les possibilités d'influence réelle sur les situations considérées.

Une fois cette sélection complétée, les gestionnaires établissent un ordre de priorités parmi les situations étudiées; ils procèdent ensuite à la détermination des objectifs.

Commentaire

Cette méthode peut être appropriée pour les unités opérationnelles d'une organisation: elle a un point de départ très concret, les domaines clés, et assure une continuité dans la démarche d'analyse. Par contre, elle présente l'inconvénient de ne pas favoriser l'innovation et le changement par rapport à ce qui s'est fait dans le passé.

TABLEAU 2 — GRILLE D'ANALYSE DE LA SITUATION PAR DOMAINES CLÉS

Date:

Période visée:

LES DOMAINES CLÉS	CE QUI S'EST FAIT AU COURS DE LA PÉRIODE PRÉCÉDENTE	L'ÉVALUATION DES RÉSULTATS	SITUATIONS À MAINTENIR ET/OU À CHANGER	LES PRIORITÉS
(Revoir la raison d'être de l'unité et les définitions de rôle, et noter les résultats importants attendus dans chaque domaine clé.) 1. 2. 3. 4. 5.	(Faire une rétrospective de la période précédente et indiquer les opérations accomplies et les résultats obtenus.)	(Porter un jugement sur ce qui s'est fait et les résultats obtenus.)	(Se tourner vers la prochaine période.)	(Indiquer l'ordre de priorité.)

Méthode C — Analyse des interactions

Une organisation, on l'a vu, est la coordination des activités diverses des parties composantes (individus et groupes) pour assurer des échanges concertés avec l'extérieur. Cette définition permet d'identifier deux catégories d'interactions dont il n'a pas encore été question explicitement et qui doivent absolument être analysées si on désire un diagnostic vraiment complet d'une organisation. Ces interactions sont les suivantes:

1) les interactions entre l'organisation (et chacune de ses principales unités composantes) et le milieu externe (en vue d'assurer des échanges concertés avec l'extérieur);
2) les interactions entre les unités (en vue d'assurer la coordination des activités diverses des parties composantes).

Voyons la signification de ces interactions et la manière * de les analyser.

I — Les interactions entre l'organisation (et chacune de ses principales composantes) et le milieu externe

Pour survivre, toute organisation, aussi petite soit-elle, doit transiger avec plusieurs éléments de son milieu externe: clients, concurrents, marché de la technologie, institutions financières, marché du travail, réglementations gouvernementales, population d'un secteur donné. Le milieu, c'est en effet l'ensemble des éléments extérieurs au système et dont l'état est susceptible d'influer sur le système ou d'être influencé par lui. La responsabilité de ces transactions est répartie entre les principales unités composantes de l'organisation. Cela va de soi puisque, sauf pour les quelques unités ayant exclusivement un rôle de coordination interne, c'est justement pour répondre de façon adéquate aux besoins de ces

---

*Ce modèle est basé sur la notion de différenciation et d'intégration. Voir P. Lawrence et J. Lorsch, *Adapter les structures de l'entreprise,* Ed. d'Organisation, Paris, 1973.

éléments du milieu que chaque unité s'est spécialisée, particularisée, différenciée des autres unités.

Une analyse sérieuse de la situation d'une organisation ou d'une de ses principales unités composantes doit donc inclure les éléments suivants:

1) une identification des éléments du milieu externe avec lesquels l'organisation ou l'unité doit interagir;

2) la définition des caractéristiques des interactions entre chacun de ces éléments du milieu et l'organisation ou l'unité; on peut y arriver en examinant:

   a) la nature de ce qui est transigé (produits, documents, services, besoins, demandes, informations, autorisations),

   b) le nombre et la fréquence des contacts,

   c) la responsabilité de l'unité dans l'interaction,

   d) la qualité de la relation (stable-instable, satisfaisante-insatisfaisante, compétitive-collaboratrice, rétroaction rapide (court terme) — lente (long terme);

3) l'identification des situations ou des opérations qui sont à maintenir, à améliorer ou à changer par rapport à ces interactions;

4) l'établissement des priorités parmi ces nombreuses situations ou opérations à maintenir, à améliorer ou à changer.

TABLEAU 3 — ANALYSE DES INTERACTIONS
ENTRE L'ORGANISATION ET LE MILIEU EXTERNE

Date:

Période visée:

ÉLÉMENTS	CARACTÉRISTIQUES DES INTERACTIONS	SITUATIONS OU OPÉRATIONS PRÉSENTES À MAINTENIR, À AMÉLIORER OU À CHANGER	PRIORITÉS
Enumérez les organisations, personnes, en dehors de l'organisation, avec lesquelles votre unité est en interaction et qui sont susceptibles d'influer sur le système ou d'être influencées par lui.	a) nature de ce qui est transigé (produits, documents, services, besoins, demandes, informations, autorisations) b) fréquence et nombre des contacts c) responsabilité de l'unité d) qualité de la relation (stable-instable, satisfaisante-insatisfaisante, compétitive-collaboratrice, rétroaction rapide ou lente)		

Les interactions entre les unités

Les unités de l'organisation se différencient les unes des autres, on l'a souligné, en fonction des besoins et caractéristiques propres des parties du milieu externe avec lesquelles elles ont des échanges. Chaque unité doit donc développer un caractère compatible avec sa tâche et avec le milieu avec lequel elle est en interaction. Cette nécessité rend d'autant plus difficile et complexe le besoin d'intégration des unités. On peut déjà entrevoir à quel point les caractéristiques différentes des unités — nécessaires pour assurer des échanges valables avec l'extérieur — peuvent constituer une importante source de conflits entre les unités ou les groupes de l'organisation. Lorsqu'il y a peu ou pas de conflits ou de tensions entre les unités d'une organisation, il y a lieu de vérifier l'hypothèse suivante: la différenciation entre les unités est faible et l'organisation se préoccupe trop peu de sa clientèle.

Les bureaucraties ont en effet tendance à réduire les conflits internes en forçant les parties composantes à fonctionner d'une manière uniforme, selon les mêmes règles, au détriment même d'interactions valables avec le milieu extérieur.

L'analyse de cette deuxième catégorie d'interactions doit inclure les opérations suivantes:

1) une identification des autres unités de l'organisation avec lesquelles l'unité interagit;
2) la définition des caractéristiques de ces interactions:
   a) la nature de ce qui est transigé (produits, services, demandes, autorisations, décisions);
   b) le nombre et la fréquence des contacts;
   c) la qualité de la relation avec les autres unités;
   d) les mécanismes de coordination et de résolution de conflits (comités supérieurs communs);
3) l'identification des situations ou opérations qui sont à maintenir, à améliorer ou à changer;
4) l'établissement des priorités.

TABLEAU 4 — ANALYSE DES INTERACTIONS ENTRE LES UNITÉS

Date:

Période visée:

ÉLÉMENTS	CARACTÉRISTIQUES DES INTERACTIONS	SITUATIONS OU OPÉRATIONS PRÉSENTES À MAINTENIR, À AMÉLIORER OU À CHANGER	PRIORITÉS
Enumérez les principales unités de l'organisation avec lesquelles votre unité interagit.	a) nature de ce qui est transigé (produits, services, demandes, autorisations, décisions) b) nombre et fréquence des contacts c) qualité de la relation d) mécanismes de coordination et de résolution de conflits.		

En plus des deux interactions fondamentales qui viennent d'être décrites, l'expérience amène à en nommer deux autres qui méritent une attention particulière pour qu'une analyse de la situation soit complète. Il s'agit, d'une part, des interactions entre les personnes et l'organisation et, d'autre part, des interactions des personnes entre elles.

Les interactions entre les personnes et l'organisation

Quels sont les problèmes au niveau des salaires, des conditions de travail, des plans de carrière, de la motivation, de l'intégration des besoins individuels et des objectifs de l'organisation? Il s'agit du *contrat* entre les personnes et l'organisation.

Les interactions entre les personnes

Il s'agit d'examiner le réseau des relations interpersonnelles significatives pour chaque membre de l'équipe, d'établir la qualité de ces relations et de préciser les situations à maintenir ou à changer.

Commentaire

Cette méthode est particulièrement utile pour une analyse au niveau de la direction générale ou des équipes de direction des principales unités d'une organisation. Elle a le mérite de considérer l'organisation comme un système ouvert. Cette méthode peut s'avérer plus ardue que les précédentes et moins utile pour les sous-unités de l'organisation. Dans ces cas, l'analyse par domaines clés est souvent plus appropriée.

TABLEAU 5 — ANALYSE DES INTERACTIONS ENTRE LES PERSONNES ET L'ORGANISATION

Date:

Période visée:

ÉLÉMENTS	CARACTÉRISTIQUES DES INTERACTIONS	SITUATIONS PRÉSENTES À CHANGER, À AMÉLIORER OU À MAINTENIR	PRIORITÉS
Exemples: salaires, conditions de travail, promotions, perfectionnement, motivation, plans de carrière, sources de satisfaction et d'insatisfaction.	Décrivez, clarifiez et évaluez l'interaction des personnes avec l'organisation en regard de chaque élément identifié.		

TABLEAU 6 — ANALYSE DES INTERACTIONS ENTRE LES PERSONNES

Date:

Période visée:

ÉLÉMENTS	CARACTÉRISTIQUES DES INTERACTIONS	SITUATIONS PRÉSENTES À CHANGER, À AMÉLIORER OU À MAINTENIR	PRIORITÉS
Enumérez les personnes de votre organisation avec lesquelles vous avez des interactions significatives.	• fréquence • qualité des communications • degré de satisfaction • degré d'indépendance • conflits		

Un exemple

L'exemple ci-dessous est le résultat de la planification annuelle des objectifs de l'équipe de direction d'un service opérationnel d'un ministère. Le service comprend environ 54 employés cadres et 600 employés syndiqués et a la responsabilité de gérer un budget de l'ordre de 35 millions. L'analyse de la situation et les objectifs ont été préparés au cours d'une période de deux mois incluant une rencontre intensive de deux jours de l'équipe de direction (sept personnes) à laquelle participait un conseiller en gestion par objectifs. L'exemple est reproduit presque intégralement afin d'illustrer les concepts avancés plus haut.

TABLEAU 7 — ANALYSE DE LA SITUATION ET OBJECTIFS

I — INTERACTIONS ENTRE NOTRE UNITÉ ET LE MILIEU
II — INTERACTIONS ENTRE NOTRE UNITÉ ET LES AUTRES GROUPES DE L'ORGANISATION
III — INTERACTIONS ENTRE LES PERSONNES ET L'ORGANISATION

ÉLÉMENTS	CARACTÉRISTIQUES DES INTERACTIONS	SITUATIONS ACTUELLES À CHANGER OU À AMÉLIORER	OBJECTIFS
I — Les clients	• Service de logement	— coûts élevés?	1. Pour l'année 1974-1975, l'augmentation des coûts d'opération des services connexes des édifices ne dépassera pas 5% par rapport aux coûts de 1973-1974.
	• Services connexes à l'opération des édifices	— efficacité?	2. Pour l'année 1974-1975, il n'y aura pas plus de plaintes qu'en 1973-1974 par rapport aux services connexes. (Critères: nombre et nature des plaintes reçues.)
			3. A la fin de 1974, des critères d'efficacité pour les services connexes auront été développés et acceptés.
	• Services strictement aux clients	— coûts?	4. Le 1er octobre 1974, un système pour analyse des coûts des services aux clients sera développé (à l'intérieur du système de contrôle de la productivité).

ÉLÉMENTS	CARACTÉRISTIQUES DES INTERACTIONS	SITUATIONS ACTUELLES À CHANGER OU À AMÉLIORER	OBJECTIFS
1 — Les clients		—temps?	5. En 1974-1975, la moyenne de temps nécessaire pour rendre les services sera réduite de 30 à 27 jours.
	• Utilisation maximale des espaces — analyse des besoins — mise en plan — aménagement des locaux	— qualité de notre service?	6. En 1974-1975, pour un maximum de six demandes d'espaces d'au-delà de 30,000 pi. ca. l'on prévoira, 1) une planification des besoins, 2) une mise en plan, 3) un aménagement des locaux.
		— coûts de notre service?	7. A la fin de décembre 1974, un système pour déterminer les coûts de chaque étape de l'"utilisation maximale des espaces" aura été établi.
	• Administration des contrats — baux —contrats de services	Respect non soutenu pour les modalités des contrats	8. Le 1er octobre 1974, nous aurons énoncé une politique générale, et les systèmes nécessaires pour sa mise en oeuvre, en ce qui a trait à l'administration des contrats tels baux et contrats de service.

I — L'industrie de l'immeuble (les associations professionnelles et éducatives)	• Rédaction et administration des contrats de gestion immobilière	Un nombre insuffisant de contrats	9. Le 31 mars 1975, une étude aura été complétée dans le but d'identifier les organismes gouvernementaux qui pourraient bénéficier des contrats de gestion immobilière.
	• Rencontres pour nous tenir à jour et aussi pour informer de ce qui se passe chez nous	Peu de contacts	10. Le 31 décembre 1974, nous aurons un plan visant à nous mieux intégrer aux diverses associations de l'immeuble à Montréal et à Québec.
II — Planification et coordination des programmes	• Participations aux études de solutions (services de logement)	— Participation non coordonnée — Manque de qualité de notre part	11. Le 15 septembre 1974, nous aurons développé avec P. & C.P. un mécanisme de fonctionnement conjoint qui assure notre participation dans l'étude de solutions.
II — L'immobilier	• Nous demandons des services tels: trouver des locaux, négocier des baux, demander l'approbation du Conseil du Trésor, signer les baux.	Système maintenant partiellement défini (juin 74)	12. Le 1er septembre 1974, un système de letting sera décrit et fonctionnera.
II — Etudes et construction	• Nous demandons des services professionnels pour l'aménagement des locaux.	Système partiellement défini	13. Le 1er septembre 1974, un processus interne de cheminement sera établi et mis en oeuvre pour assurer que les services professionnels pour l'aménagement de locaux soient rendus tels que prévus.

ÉLÉMENTS	CARACTÉRISTIQUES DES INTERACTIONS	SITUATIONS ACTUELLES À CHANGER OU À AMÉLIORER	OBJECTIFS
II — Services administratifs et financiers	• Nous demandons des services professionnels pour travaux d'entretien majeurs et modifications.	Système en évolution — demandes de services déjà faites pour 1974/1975	14. Le 1er octobre 1974, un processus de cheminement, accepté par E. & C., sera mis en oeuvre pour assurer que les services professionnels pour les travaux majeurs d'entretien et pour les améliorations mineures soient rendus tels que prévus.
	• Nous demandons des services tels: — analyses financières — informations financières mensuelles (nouveau système) — achats — administration des contrats (appels d'offres et services connexes de comptabilité).	Ce groupe ne semble pas assez bien comprendre nos objectifs; semble aussi avoir conflit entre rôle de service et de contrôle.	15. Le 1er octobre 1974, au moins une journée de rencontre avec les services administratifs et financiers aura eu lieu afin de clarifier nos rôles, objectifs, besoins d'intégration des systèmes et services respectifs (incl. archives).

II Services du personnel	• Nous demandons des services tels: — dotation du personnel — évaluation des tâches — relations industrielles — perfectionnement et planification de la main d'oeuvre.	Ce groupe ne semble pas assez bien comprendre nos objectifs; conflit possible entre rôle de service et de contrôle.	16. Le 1er décembre 1974, une rencontre d'une journée aura eu lieu avec le service du personnel afin de décrire nos objectifs, nos besoins et nos problèmes et de voir comment ce service peut nous aider face à nos objectifs et problèmes.
III Interactions entre les personnes et l'organisation	• Salaires	Bas, compte tenu de notre industrie.	17. Une demande d'analyser l'à-propos des classifications et niveaux de salaires du personnel de l'Administration immobilière sera soumise au siège social au cours de la semaine du 24 juin 1974.
	• Conditions de travail	Se comparent favorablement au secteur privé.	
	• Perfectionnement	Dernièrement se compare favorablement...	18. Le 31 décembre 1974, les plans de perfectionnement du personnel pour 1975-1976 auront été complétés.
	• Plans de carrière	Inadéquat	19. Le 30 janvier 1975, nous aurons un premier scénario du personnel et des connaissances qui seront requises dans notre secteur d'activité dans cinq ans.
	• Sources d'insatisfaction	L'aménagement à long terme de nos locaux est à prévoir.	20. Le 1er décembre 1974, nous aurons fait une recommandation au comité de stratégie pour le logement à long terme du bureau.

Sommaire

Pour pouvoir planifier l'avenir d'une organisation, il faut une bonne perception du présent. Ne pas investir le temps nécessaire à une analyse valable de sa situation actuelle avant d'établir les résultats qu'on veut atteindre dans un avenir plus ou moins éloigné, c'est véritablement se condamner à planifier dans le vide. Cette planification risque en effet d'être emportée au premier coup de vent. Il est paradoxal, mais néanmoins vrai, que la façon la plus sûre de changer soit d'abord de prendre profondément conscience de sa situation présente. C'est ainsi que se retrouvent toutes les pistes d'avenir valables. La réalité, c'est la description de ce qui est vu. Les objectifs visés, les résultats à atteindre doivent être ancrés dans cette réalité. Ils ne peuvent avoir d'autres points de départ que la situation présente. Plus la description de cette situation est juste, plus on a de chances d'établir des objectifs réalistes et valables.

Le gestionnaire doit accorder autant d'importance à l'analyse de la situation qu'à la détermination des objectifs. Les équipes de direction clairvoyantes y investissent plusieurs jours de leur temps de planification.

Chapitre 7

La détermination des objectifs

Perspective

L'analyse de la situation doit fournir aux gestionnaires les données nécessaires à la détermination des objectifs. Ayant complété l'analyse de l'ensemble de l'organisation, l'équipe de direction générale en explicitera les objectifs. Il ne s'agit aucunement de répéter les buts généraux qui expriment la mission de l'organisation, mais bien de préciser des résultats désirés dans un avenir déterminé. Il en va de même au niveau de chaque unité. Les équipes de direction ont la responsabilité de préciser les objectifs de l'unité. De plus, chaque gestionnaire, du président au contre-maître, doit déterminer ses objectifs individuels. La démarche à suivre pour définir tous ces objectifs de façon cohérente est décrite au chapitre 10. Il importe cependant de distinguer dès maintenant deux types d'objectifs: les objectifs collectifs et les objectifs individuels; les premiers relèvent de la responsabilité de sous-unités, d'unités ou de l'ensemble, alors que les seconds relèvent de chaque gestionnaire. Il va sans dire que le chef d'unité a un rôle de leadership et de coordination à jouer en vue d'aider à atteindre les objectifs de son unité; ces objectifs ne doivent toutefois pas être confondus avec les siens: en effet, en identifiant ses objectifs individuels avec ceux de son unité il risque de réduire la motivation de ses subordonnés en s'appropriant ce qui ne lui appartient pas.

Ces premières considérations amènent à cerner la notion d'objectif.

Qu'est-ce qu'un objectif?

Un objectif, c'est un énoncé de résultats désirés dans un délai déterminé. C'est un point d'arrivée par rapport à une situation actuelle. Il ne faut pas confondre *but* et *objectif.* Dans le contexte de cet ouvrage, un but exprime une intention, une finalité: satisfaire les actionnaires, humaniser l'école, augmenter l'efficacité, gagner sa vie, devenir un meilleur gestionnaire; un objectif précise les résultats à atteindre dans un temps donné: atteindre un profit net de $1.00 par action au cours du prochain exercice financier.

Caractéristiques souhaitables d'objectifs

1. L'objectif doit décrire une situation à *atteindre,* des résultats désirés, des *outputs,* et non pas des activités;
2. l'objectif doit être formulé *directement* et *simplement:* il s'agit en effet de communiquer avec ceux qui ont be-

soin de savoir — le supérieur immédiat et ses pairs, les subordonnés et ceux qui seront concernés par l'objectif; on peut, dans la plupart des cas, prendre pour acquis que ces personnes connaissent et les éléments de la situation et les raisons qui sous-tendent l'objectif proposé;

3. l'objectif doit être *évaluable,* donc spécifique et mesurable: il faut inclure les précisions relatives à la quantité, à la qualité et à la date de réalisation; on doit pouvoir décrire et observer un objectif;

4. un objectif spécifie seulement le *quoi* et le *quand* mais il évite le pourquoi et le comment: l'étape du *pourquoi* doit être franchie au moment de l'analyse de la situation, les explications pouvant être verbales ou écrites; le *comment,* c'est le plan d'action;

5. les objectifs individuels et collectifs doivent *s'harmoniser;* ils doivent aussi être *compatibles* avec la mission de l'organisation, la raison d'être de l'unité et la définition de rôle, selon les cas;

6. un objectif doit être *réalisable,* donc réaliste.

Critères d'évaluation

Après avoir formulé un objectif, il faut se demander à quels signes on pourra reconnaître que les résultats ont été atteints; nous appelons ces signes *critères d'évaluation.*

Il arrive que les critères soient tous contenus dans l'énoncé de l'objectif. Lorsque ce n'est pas le cas, il faut les préciser et si l'objectif est tellement général qu'il n'est à peu près pas possible de définir des critères d'évaluation, c'est le signe d'un objectif trop complexe qu'il faudra décomposer.

Objectifs et activités

Etre en activité, c'est agir. Vendre, former du personnel, tenir des réunions, suivre un séminaire: voilà des activités, ou des moyens destinés à atteindre des résultats. Les objectifs, ce sont les résultats visés. Les gestionnaires tombent facilement dans le piège de décrire des activités (au lieu de décrire des objectifs) parce qu'ils sont généralement des gens d'action, et aussi parce que la « gestion par les activités » est une méthode très répandue dans les organisations. C'est ainsi, par exemple, qu'on exige que des vendeurs visitent un certain nombre de clients par jour, mais sans leur assigner d'objectifs de vente. Les descriptions de tâche comprennent non seulement un énoncé de la responsabilité et de l'autorité des titulaires, mais aussi une liste plus ou moins longue des opérations que ceux-ci doivent accomplir.

Il est évident que les résultats proviennent d'activités et que le choix des objectifs doit nécessairement être suivi d'un plan des activités requises pour produire ces résultats; il ne faut pourtant pas les confondre.

D'autant plus que les objectifs d'un gestionnaire ont souvent l'apparence d'activités pour une personne d'un niveau hiérarchique supérieur ou d'une autre unité. Quel que soit l'objectif, en effet, il est presque toujours possible de poser la question: pourquoi? et de prétendre ainsi qu'il ne s'agit pas d'un objectif mais d'un moyen. L'important, c'est que l'objectif soit réel et valable dans la perspective de la personne concernée.

Nombre d'objectifs

Le gestionnaire peut fixer des objectifs au début de chaque journée, de chaque réunion de comité, de chaque semaine, de chaque année. Lorsqu'on envisage une période annuelle de planification, le nombre d'objectifs et de sous-objectifs peut être assez élevé. Il serait absurde, onéreux et peu productif d'exiger que tous ces objectifs soient explicités. Il s'agit plutôt de rédiger des objectifs pour les domaines clés qui contribuent le plus à la raison d'être de l'unité, pour les situations les plus problématiques, et pour celles qui offrent un grand potentiel d'énergie ou de productivité. En pratique, il semble qu'une vingtaine d'objectifs annuels représente un nombre maximum pour une unité ou pour un gestionnaire. Lorsque le nombre est plus élevé, il faut se demander si l'on n'est pas tombé dans le piège de décrire des activités plutôt que des objectifs, ou encore de s'approprier les objectifs du palier hiérarchique inférieur ou des sous-unités. Certains gestionnaires vont même jusqu'à soutenir que le nombre idéal pour une année est de quatre ou cinq objectifs.

Limiter le nombre d'objectifs oblige à choisir des résultats vraiment significatifs. Cette décision oblige le gestionnaire à adopter une vue globale de son rôle, de son unité ou de son organisation. Elle permet de plus de concentrer ses énergies sur les quelques objectifs vraiment cruciaux.

Le court terme et le long terme

A tous les niveaux et dans tous les secteurs de l'organisation, les gestionnaires doivent avoir des objectifs à court terme et à long terme. C'est une erreur de croire que seule la haute direction doive se préoccuper de l'avenir de l'organisation ou d'estimer qu'elle n'a pas à se pencher sur des résultats à court terme. Les rôles des uns et des autres sont différents, mais leurs actions courantes doivent viser des résultats à court terme et à long terme.

Qui doit déterminer les objectifs?

Cette question est essentielle. Chaque gestionnaire doit *participer* à la détermination des objectifs de l'unité à laquelle il appartient. Ce qui ne veut pas dire pour autant que ces objectifs doivent tous faire l'objet d'un consensus au sein de l'unité concernée.

En effet, le gestionnaire a la responsabilité d'atteindre ses objectifs individuels. Et ces objectifs doivent contribuer à l'atteinte des objectifs de l'unité, ce qui implique une coordination, puisque par définition, une organisation doit assurer la coordination des efforts de tous ses collaborateurs. Ce rôle d'intégration est prioritairement dévolu aux supérieurs hiérarchiques des différentes unités et sous-unités. Pour cette raison, le gestionnaire doit soumettre ses objectifs à l'approbation de son supérieur immédiat. Ce dernier, par ailleurs, a presque toujours besoin de la collaboration et de l'appui de ses subordonnés pour atteindre ses objectifs propres: il doit donc leur faire connaître ses objectifs individuels. Dans l'interdépendance supérieur-subordonné, ce processus d'échange et d'approbation d'objectifs individuels se nomme souvent *négociation d'objectifs.* Le chef qui refuse de dévoiler à ses subordonnés ses objectifs individuels (qu'il a probablement négociés avec son patron) mais qui exige d'approuver les leurs augmente son degré de contrôle sur ses subordonnés. Il sabote ainsi une dimension capitale de l'esprit du système de gestion par objectifs, en le transformant en un nouvel outil de contrôle du type développé à l'excès par les tenants du taylorisme ou du management scientifique.

Au surplus, le gestionnaire doit aussi connaître et comprendre les objectifs de l'ensemble de son unité et de l'organisation et faire valoir son point de vue sur ceux-ci. La démarche décrite plus loin (chapitre 10) rend cette obligation réalisable.

De cette manière, le processus de détermination des objectifs devient une façon fort appropriée *d'orchestrer la responsabilité* au sein d'une organisation.

Objectifs personnels

Les objectifs de l'organisation ou de ses unités et les objectifs individuels sont donc distincts: les premiers constituent une responsabilité collective, les seconds concernent un gestionnaire en particulier. Ces objectifs individuels sont d'abord orientés vers la contribution du gestionnaire à l'obtention des résultats collectifs; ils devraient également inclure des objectifs personnels, centrés sur ses propres besoins, qui peuvent être comblés dans le cadre de l'organisation. Qu'il s'agisse de connaissance ou d'expérience à acquérir, de besoins financiers, de déplacements à restreindre pour des raisons familiales ou autres, de certaines activités à limiter pour raisons de santé, il est souhaitable que ces besoins soient traduits en résultats à atteindre et fassent partie des objectifs individuels. C'est présupposer un climat de confiance mutuelle entre supérieur et subordonné, de même qu'un minimum de garanties quant au traitement confidentiel de ces objectifs personnels.

TABLEAU 8 — DÉTERMINATION DES OBJECTIFS		
Objectifs de ———————— (Spécifiez individu ou unité)	**Date:** **Période visée:**	
SITUATIONS À CHANGER, À AMÉLIORER OU À MAINTENIR. (PRIORITÉS CHOISIES AU COURS DE L'ANALYSE DE LA SITUATION.)	OBJECTIFS	CRITÈRES D'ÉVALUATION

Chapitre 8

Le plan d'action

Définition
Méthode des champs de forces
Perspective

Lorsqu'un homme décide d'entreprendre quelque chose, il doit s'y engager jusqu'au bout, mais il doit avoir la pleine responsabilité de ce qu'il fait. Peu importe ce qu'il fait, il doit en tout premier lieu savoir pourquoi il le fait, et ensuite il lui faut accomplir ce que cela suppose sans jamais avoir le moindre doute, sans le moindre remords.

> Conseil du sorcier Yaqui à son apprenti, dans *Le voyage à Ixtlan* de Carlos Castaneda.

Définition

Le plan d'action, c'est l'élaboration de moyens réalistes, articulés entre eux et programmés dans le temps, en vue de réaliser un objectif. L'analyse de la situation, on l'a vu, répondait à la question *pourquoi,* alors qu'un objectif décrivait un résultat à atteindre, un *quoi*. Le plan d'action, c'est le *comment*, dans tous les détails concrets et prévisibles. Les ressources dont dispose le gestionnaire pour atteindre ses objectifs sont des personnes, du matériel, de l'argent et du temps.

Plus un gestionnaire est responsable de résultats significatifs pour l'organisation, plus il doit avoir accès à des ressources importantes. Spontanément et par instinct, le gestionnaire lucide formule des objectifs qu'il pourra poursuivre avec les ressources dont il dispose. Cependant, certains moyens peuvent se trouver hors de son champ de responsabilité et exiger l'approbation de ses supérieurs hiérarchiques. Voilà pourquoi après avoir explicité les objectifs à atteindre, il faut, pour en vérifier le réalisme, faire un premier relevé des moyens envisagés. De la sorte, lorsque le gestionnaire négociera ses objectifs avec son supérieur, il pourra lui demander les ressources nécessaires qui sont hors de sa portée. Ce processus de négociations, on le voit, exige un va-et-vient entre la formulation des objectifs, la précision des plans d'action et la modification des uns et des autres selon les ressources disponibles.

La responsabilité

Lorsqu'un gestionnaire — ou une unité — est identifié à un objectif particulier, la responsabilité de l'atteinte de cet objectif doit être déléguée à ce gestionnaire ou à cette unité. Ce responsable doit préparer le plan d'action en prévoyant le déploiement de toutes les ressources: qui, quand, combien, comment. S'il n'a pas la liberté ou l'autorité d'user des moyens, c'est que l'objectif n'est pas vraiment le sien. Plusieurs gestionnaires « se donnent » des objectifs qui exigent la mise en oeuvre de ressources que d'autres régissent et contrôlent. De la sorte, il est pratiquement impossible de déterminer les responsables lorsqu'arrive le moment d'évaluer le degré de réalisation des objectifs. Ce jeu est malheureusement très répandu dans les grandes bureaucraties. Accepter la responsabilité de *ses* objectifs exige que l'on ait ou que l'on obtienne les moyens nécessaires à cette fin. Faute de quoi, il faut négocier un changement de ses objectifs.

Comment articuler tous ces moyens les uns par rapport aux autres? Il existe plusieurs méthodes pour favoriser l'élaboration d'un plan d'action. La méthode qui suit est particulièrement utile lorsque l'objectif vise à résoudre un problème où prime l'aspect humain, plutôt que le côté technique.

Méthode des champs de forces

Cette méthode est basée sur la théorie du *champ* en sciences sociales, telle que développée par K. Lewin *. Une des formulations semblables à celle qui apparaît ci-dessous a été développée par le N.T.L. Institute. ** Elle se présente comme un texte programmé, comme une série d'étapes distinctes, comportant chacune une idée, une question ou une instruction complète et distincte. Le gestionnaire pourra donc maîtriser cette méthode des champs de forces en procédant étape par étape ainsi que le suggèrent les pages suivantes. Elle lui servira du reste non seulement pour préparer des plans d'action, mais aussi pour résoudre des problèmes complexes.

1. Inscrire d'abord l'*objectif visé.* Considérer ensuite la situation existante, car c'est à partir d'une situation *existante* que l'on planifie l'atteinte d'une situation *nouvelle,* c'est-à-dire d'un objectif.

   Cette situation existante peut être analysée en terme de *forces* poussant vers la situation désirée (l'objectif), et de forces résistant à la modification de la situation actuelle. A supposer,

---

*Lewin, Kurt, *Psychologie dynamique,* Les relations humaines, P.U.F., Paris, 1967.

**Il s'agit du N.T.L. Institute for Applied Behavioral Science, 1815 N. Fort Myer Drive, Arlington, Virginia.

par exemple, que l'objectif soit « de réduire de 20% le taux d'absentéisme dans tel service. » Certaines forces tendent présentement à réduire ce taux: des salaires adéquats, un niveau de chômage élevé dans la région, le tort que les absences causent à ceux qui sont fidèles au travail. Ces forces se nomment *forces positives*; par ailleurs, d'autres forces tendent au contraire à empêcher que la situation se modifie: les mauvaises conditions physiques de travail, le style de leadership des surveillants. Ces forces se nomment *forces négatives*.

Quelles sont les forces positives et les forces négatives qui composent la situation à changer? Essayer de répondre à cette question à l'étape suivante, en incluant les facteurs de personnalité, les ressources, les contraintes, les sentiments, les pressions sociales. Tous les facteurs qui, en somme, constituent des forces positives ou négatives.

2. Enumérer les forces *positives* et les forces *négatives* qui sont propres à l'objectif ci-haut mentionné (énumérer toutes les forces qui viennent à l'esprit, en évitant de critiquer et de censurer).

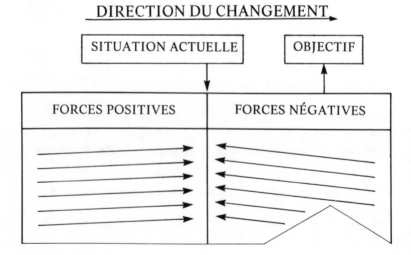

DIRECTION DU CHANGEMENT

| SITUATION ACTUELLE | OBJECTIF |

| FORCES POSITIVES | FORCES NÉGATIVES |

3. Réviser maintenant la liste et souligner les forces les plus importantes et qui semblent pouvoir être influencées de façon significative. Il peut ainsi se dégager quelques forces positives et quelques forces négatives qui revêtent une importance particulière.

Pour qu'une situation progresse dans la direction de l'objectif visé, il faut *changer l'équilibre* qui existe entre les forces positives et les forces négatives. Il est préférable de commencer par éliminer ou *réduire les forces négatives* par des actions spécifiques.

4. Considérer maintenant chaque force négative soulignée et énumérer le plus d'actions possibles qui seraient de nature à réduire l'influence de cette force ou, mieux encore, à l'éliminer complètement. Laisser travailler l'imagination et faire l'énumération sans se demander si telle action est plus appropriée que telle autre. Le choix viendra plus tard.

FORCES NÉGATIVES	ACTIONS POSSIBLES
1. 2. 3. 4.	

Pour qu'une situation progresse dans la direction de l'objectif, on peut aussi *changer l'équilibre* en *renforçant les forces positives* par des actions spécifiques.

5. Considérer maintenant chaque force positive soulignée et énumérer le plus d'actions possibles pour renforcer chacune d'entre elles. Laisser travailler l'imagination et faire l'énumération sans se demander si telle action est plus appropriée que telle autre.

FORCES POSITIVES	ACTIONS POSSIBLES
1.	
2.	
3.	

6. Relire les listes d'actions possibles et souligner les actions qui paraissent les plus adéquates.
7. Dresser la liste des actions soulignées. Ensuite, pour chacune, énumérer toutes les ressources nécessaires: humaines, techniques, matérielles, budgétaires.

ACTIONS	RESSOURCES NÉCESSAIRES
1.	
2.	
3.	

8. Il s'agit maintenant d'organiser les actions retenues dans un plan *intégré*. Eliminer les éléments qui ne semblent pas s'ajuster au plan d'ensemble. Ajouter tout autre mode d'action ou toute autre ressource qui paraît nécessaire. Etablir ensuite le *calendrier* de la réalisation du plan d'action.
9. La phase finale consiste dans l'élaboration des contrôles qui permettront d'évaluer l'efficacité du plan d'action tel que mis en oeuvre.

Perspective

Pour certains objectifs majeurs, le plan d'action comprendra un grand nombre d'activités et de contrôles. Dans les cas où le nombre d'activités dépasse la cinquantaine, le gestionnaire aura avantage à utiliser la technique du *cheminement critique*.

TABLEAU 9 — SOMMAIRE DU PLAN D'ACTION

Situation actuelle:

Objectif:

ACTIONS	QUAND?	QUI?	RESSOURCES	MOYENS DE CONTRÔLE ET D'ÉVALUATION
1.				
2.				
3.				
4.				
5.				
6.				
7.				

L'ensemble des plans d'action d'un gestionnaire constitue son plan de travail. Pour les objectifs individuels, la responsabilité de la préparation des plans d'action est clairement située. Dans le cas des objectifs de l'organisation et des unités, les chefs d'équipes doivent s'assurer que le processus de planification ne s'arrête pas à la détermination des objectifs; ils doivent faire préparer des plans d'action pour les objectifs collectifs. Dans ces cas, il est très important de déterminer qui dans l'équipe est responsable de préparer un plan d'action ou de réaliser des actions spécifiques.

Chapitre 9

Auto-contrôle, évaluation et moyens de contrôle

L'auto-contrôle
Les phases du processus d'évaluation
Grille d'évaluation périodique des résultats
Appréciation et développement individuel
Moyens de contrôle
Contrôle et liberté
Synthèse des éléments du système de gestion

L'auto-contrôle

L'auto-contrôle que préconise la gestion par objectifs est une importante source de motivation. L'auto-contrôle repose en effet sur le postulat suivant: les gestionnaires sont responsables et ils veulent contribuer à l'atteinte des objectifs; c'est à eux de s'auto-contrôler quant aux moyens à prendre pour atteindre leurs objectifs.

Lorsque les objectifs ne sont pas explicites, comme c'est encore le cas dans beaucoup d'organisations, il est à prévoir que les responsables des unités ou des groupes ne puissent s'abstenir de contrôler les activités de leurs subordonnés. Comment faire autrement pour assurer le minimum d'intégration pour que l'unité remplisse son rôle? Chaque semaine, voir chaque jour, le chef demandera donc à ses subordonnés de lui rendre compte de leurs activités: combien de clients avez-vous rencontrés? quel est le nombre d'heures supplémentaires de votre section? pourquoi voulez-vous participer à ce séminaire? Dans cette situation, le chef de groupe est seul capable d'orienter ses collaborateurs vers l'atteinte de résultats satisfaisants pour lui et, il l'espère, pour ses supérieurs.

Au contraire, lorsque les objectifs de l'unité sont clairs et que les objectifs individuels ont été négociés, le supérieur hiérarchique peut laisser ses collaborateurs libres de s'auto-contrôler sur les moyens et les activités à entreprendre. C'est le moment de rappeler une des caractéristiques des systèmes ouverts, l'équifinalité, selon laquelle un système ouvert peut donner le même état final à partir de conditions initiales différentes et par des cheminements différents. Le chef peut donc faire confiance à ses collaborateurs, car il connaît les résultats qu'ils se sont engagés à atteindre. Il les aide, les encourage, et assure la *cohérence* nécessaire. Il peut également s'attarder à ses propres objectifs.

Les phases du processus d'évaluation

Le système de gestion ne saurait être complet sans prévoir l'évaluation des résultats atteints. Il ne s'agit pas ici de l'évaluation du personnel — encore qu'elle y soit incontestablement reliée — mais plutôt de l'évaluation de la situation à un moment déterminé.

Il y a lieu de distinguer quatre phases dans le processus de l'évaluation des résultats.

1. La précision des critères d'évaluation

L'évaluation commence véritablement avec la formulation des critères d'évaluation, c'est-à-dire *en même temps* que la détermination des objectifs. On ne saurait trop insister sur l'importance de préciser, dès ce moment-là, les manifestations concrètes qui indiqueront, en temps et lieu, que les résultats auront été atteints.

2. L'acceptation des objectifs

Lorsque les objectifs individuels et collectifs sont négociés entre subordonnés et supérieur, l'entente doit se réaliser non seulement quant aux *résultats,* mais tout autant quant aux *critères* qui indiqueront que les objectifs auront été atteints. On doit également s'accorder sur les étapes subséquentes d'évaluation.

3. Les évaluations en cours d'étape

Au cours de la période de réalisation des objectifs, il faut prévoir des moments où supérieur et subordonnés d'une part, et équipes de direction d'autre part, se réuniront pour évaluer le progrès accompli vers l'atteinte des objectifs. A titre indicatif, une évaluation périodique trimestrielle est jugée nécessaire par de nombreux gestionnaires. La grille qui suit pourra aider à structurer le travail de ces rencontres.

4. L'évaluation de fin d'étape

A la fin d'une étape, il faut revoir les objectifs un à un, puis globalement. Les causes de réussites et d'échecs sont analysées et discutées. On pèse l'apport de chacun. Dans l'esprit de ce système de gestion, il est nécessaire que le chef d'équipe accepte que sa contribution à la cause commune soit discutée, voire critiquée. L'équipe évaluera aussi l'ensemble des résultats.

Cette opération constitue en quelque sorte la première phase d'une nouvelle *analyse de la situation.* Le cycle est complet et reprend.

TABLEAU 10 — GRILLE D'ÉVALUATION PÉRIODIQUE DES RÉSULTATS

Date:

Période visée:

OBJECTIFS ET CRITÈRES D'ÉVALUATION	RÉSULTATS OBTENUS À CE JOUR	EXPLICATIONS DES ÉCARTS	CORRECTIFS OU NOUVEAUX OBJECTIFS
1. 2. 3. 4.			

Appréciation et développement individuel

Une façon instinctive de juger de la réussite d'un dirigeant a toujours été de considérer la valeur de ses successeurs. On reconnaît ainsi une fonction naturelle: les anciens et les experts guident les nouveaux et les moins expérimentés. Le poids de l'exemple est lourd. On a tendance à diriger comme on est soi-même dirigé. Dans le contexte de l'organisation moderne, et sans vouloir ressusciter un patriarcat désuet, une des responsabilités du gestionnaire est de contribuer au développement de ses collaborateurs. Pour ce faire, il a plus de pouvoir que ses collaborateurs sur certaines décisions, telles les budgets, les affectations, le partage des responsabilités, les objectifs des niveaux supérieurs.

Au surplus, la fonction de développement n'est pas essentiellement altruiste. Le gestionnaire y trouve en effet son propre intérêt: il crée un climat de confiance mutuelle entre lui et ses collaborateurs et rend possible et profitable la négociation des objectifs avec des collaborateurs plus compétents. De plus, il reçoit crédit de son action de développement et profite personnellement de l'aide de ses collaborateurs dans son propre développement. Voilà le sens premier que doit revêtir le processus d'évaluation du personnel, que plusieurs préfèrent nommer « appréciation et développement individuel ». Il ne s'agit donc pas pour le gestionnaire de passer un jugement sur la personnalité de ses subordonnés, ni de passer en revue leurs activités à la manière d'un inspecteur vérifiant la qualité des produits. Malheureusement, les méthodes d'appréciation du personnel, en vigueur dans bon nombre d'organisations, favorisent ce comportement.

Dans plusieurs organisations, en effet, l'appréciation du personnel donne lieu à des processus administratifs tels la détermination des salaires, les promotions, les transferts, les rétrogradations et les renvois. Dans ce contexte de jugement et de critique, l'aspect développement occupe une place bien mince. Nous croyons que cette appréciation « polyvalente » du personnel est une erreur grave. Elle rend difficiles de nombreuses relations patron-subordonnés. Cette critique est sûrement difficile à accepter par ceux parmi les directeurs du personnel qui se sont faits les promoteurs de processus complexes et coûteux; elle nous paraît cependant indispensable.

Une approche simple et adaptée

Nous proposons aux gestionnaires d'opter pour un mode d'appréciation simple, adapté aux situations particulières dans lesquelles ils travaillent et résolument axé sur le développement individuel des collaborateurs. Une telle approche se concrétise par des échanges entre patron et subordonné sur les points suivants:

a) les résultats obtenus par le subordonné;
b) les méthodes de travail utilisées par le subordonné;
c) les objectifs futurs;
d) son potentiel, ses désirs et ses besoins individuels;
e) son plan de développement individuel.

L'appréciation et le développement des subordonnés demeurent sans contredit un aspect difficile de la fonction du gestionnaire. Il est utopique de croire qu'un système de gestion par objectifs en éliminera toutes les difficultés. Il est certain par ailleurs que la façon d'agir du gestionnaire dans cette dimension de son travail constitue un facteur important de motivation et exerce une influence déterminante sur le climat de confiance et d'interdépendance nécessaire dans le cadre du management d'aujourd'hui.

Moyens de contrôle

Les moyens de contrôle doivent réaliser les conditions suivantes:

1) être *économiques:* dans certaines organisations le service d'informatique devient un gadget tellement sophistiqué qu'il est coupé de la réalité des services à rendre;

2) permettre d'évaluer les moyens les plus *significatifs* mis en oeuvre pour atteindre les objectifs de l'organisation;

3) fournir des données permettant de *juger correctement* de la nature du phénomène mesuré; par exemple, dans une industrie où les besoins de la clientèle varient selon les mois au gré des températures, les responsables des ventes devraient recevoir plus qu'un rapport sur le taux de production mensuel: ce rapport est important en effet puisqu'il y a rareté du produit, mais insuffisant pour guider les vendeurs;

4) fournir l'information en *temps opportun:* les gestionnaires qui utilisent les informations doivent juger du temps opportun; leurs demandes doivent évidemment être tempérées par la possibilité d'obtenir les renseignements à des coûts raisonnables, mais il est essentiel que les gestionnaires ne soient pas à la merci du bon plaisir des spécialistes de l'informatique ou de la comptabilité;

5) être *simples:* si les informations ne sont pas facilement compréhensibles et utilisables par les gestionnaires, elles sont inutiles.

Voici quelques moyens de contrôle servant à mesurer le progrès vers l'atteinte d'un objectif:

— budgets,
— utilisation des ressources,
— rapports et registres,
— échéanciers,
— degré de satisfaction.

Ces moyens de contrôle indiqueront dans quelle mesure est respecté le cadre prévu pour chacune des actions.

Le budget

Un budget, c'est un plan d'action exprimé en termes financiers. L'unité de mesure est surtout quantitative et monétaire. La budgétisation est donc un aspect particulier et limité de la planification.

Pour utiliser ce type de contrôle, il faut au minimum trois procédures:

a) une procédure de *transformation* des résultats désirés en dollars; ces montants sont généralement exprimés de façon à refléter le système comptable et à indiquer l'impact que les plans prévus auront sur les disponibilités financières;

b) une procédure de *coordination* des estimés de résultats en un programme équilibré: les chiffres de vente, les coûts de production, d'administration et autres doivent être réunis; les estimés globaux doivent être comparés aux objectifs financiers;

c) une procédure de *corrélation* entre les prévisions et les résultats obtenus; les écarts indiqueront la nécessité de modifier certains objectifs ou plans d'action.

L'utilisation des ressources

Face à un objectif, certains coûts ne sont pas nécessairement reflétés dans le budget: il s'agit ici de l'utilisation des ressources de temps, d'espace, d'équipement et de personnel; quelques exemples:

— le temps nécessaire pour accomplir une tâche;

— la relation professeur-élève;

— le coût heure/élève;

— le pourcentage de l'utilisation d'un local;

— la répartition des ressources (temps, argent, personnel, équipement, espace) entre différentes catégories d'usagers;

— les coûts croissants de l'utilisation des ressources;

— le coût d'entretien.

Les rapports et les registres

C'est par les rapports et les registres qu'on peut avoir accès aux données décrites sous la rubrique « Utilisation des ressources »; souvent, pour que ces données soient valables comme moyens de contrôle du progrès vers un objectif, il faut les prévoir au plan d'action. Un rapport est utile dans la mesure où il décrit correctement la situation avant, pendant et après l'exécution de l'action planifiée.

Les échéanciers

Le plan d'action doit inclure des échéances, voire même un cheminement critique, dans l'accomplissement des étapes vers l'objectif. Il s'agit alors de vérifier si les échéances sont respectées et sinon, de connaître les raisons de ces délais afin de permettre au gestionnaire d'entreprendre des actions correctives ou d'établir d'autres échéances plus réalistes.

Le degré de satisfaction

Lorsqu'il s'agit d'objectifs difficiles à quantifier, on peut présenter un questionnaire exprimant la satisfaction ou l'insatisfaction; ils sont administrés à un groupe en vue d'évaluer le progrès de l'action entreprise.

Contrôle et liberté

A l'instar d'un navire, l'organisation a besoin pour continuer sa course à la fois de pilotes et de moyens de surveillance. En fait, le système d'information et de contrôle budgétaire est un réseau de surveillance. Les gestionnaires sont les pilotes de l'organisation.

Vous avez besoin de deux systèmes: le premier pour l'action qui s'exprimera, pour l'essentiel, en unités non monétaires; le second, qui sera plus financier... Les combiner en un seul, c'est se condamner à avoir un système qui ne satisfera aucun des deux besoins.*

---

*Le Moigne, J.L., *Les systèmes de décision dans les organisations,* P.U.F., Paris, 1974, page 171.

Le système de gestion par objectifs n'élimine ni ne remplace le besoin d'un système d'information constituant la mémoire de l'organisation, et d'un système budgétaire permettant de répartir des ressources rares. Ce système permet de traduire en objectifs précis les finalités de l'organisation et d'influencer la répartition des ressources rares par la vision de la réalité et de l'avenir des gestionnaires, situés aux frontières de l'organisation. Autrement, cette répartition sera faite exclusivement à partir de données historiques ou théoriques, manipulées par des agents spécialisés et situés loin de l'environnement principal avec lequel l'organisation interagit.

Une information pertinente, circulant librement et efficacement, permet à un organisme de mobiliser ses énergies selon ses besoins et d'assurer sa raison d'être. Encore faut-il que celle-ci soit connue et acceptée par les parties composantes de l'organisme. Faute de quoi, l'information peut servir à favoriser la domination des uns sur les autres. C'est de ce type de contrôle qu'il faut libérer l'homme.

Synthèse des éléments du système de gestion

Au chapitre 2 ont été retenus six éléments essentiels du système de gestion, à savoir:

1. la définition de la mission de l'organisation, de la raison d'être de chaque unité, et des rôles individuels;
2. l'analyse de la situation à intervalles réguliers;
3. la formulation d'objectifs;
4. l'élaboration de plans d'action;
5. l'auto-contrôle;
6. l'évaluation.

Le tableau-synthèse qui suit les réunit et les résume. Il s'agira ensuite de voir comment ces éléments peuvent être rattachés les uns aux autres dans la réalité concrète de l'organisation.

TABLEAU 11 — TABLEAU-SYNTHÈSE DU SYSTÈME DE GESTION PAR OBJECTIFS

MISSION OU RÔLES	ANALYSE DE LA SITUATION	OBJECTIFS	PLANS D'ACTION	MOYENS DE CONTRÔLE	ÉVALUATION DES RÉSULTATS
• C'est la raison d'être • Qui sont les clients? • Quels services sont offerts? • Situer les unités dans l'organisation	Que se passe-t-il présentement, en fonction • de la raison d'être? • des résultats atteints au cours de la période précédente? • des besoins des clients? • des besoins des membres de l'organisation?	Enoncés de *résultats désirés* en rapport avec l'analyse de la situation	Calendrier des activités prévues pour atteindre chaque objectif et mention des ressources nécessaires	• Budgets • Ressources • Rapports • Echéances • Degré de satisfaction	En fonction de critères pré-établis et de la raison d'être de l'organisme
Reflète les *valeurs*	En fonction de la complexité de la situation, identifie les *choix* à faire	*Les jeux sont faits*	Les *actions* s'insèrent dans une démarche explicite	Le *cadre* prévu pour les *actions* est-il respecté?	Les *résultats* sont-ils *atteints?* L'organisme se maintient. La boucle est fermée et le cycle de planification reprend

Chapitre 10

Un processus pour intégrer les éléments de la gestion

Le mécanisme d'intégration
Qualités de la démarche
Etapes du processus de planification
Temps requis

Le mécanisme d'intégration

On a déjà vu que la structure d'une organisation, c'est la répartition des responsabilités et des tâches entre les personnes, de même que les mécanismes de coordination. Le contenu de ces responsabilités a été défini, ainsi que la manière dont elles peuvent être contrôlées. Il faut maintenant aller plus loin et décrire un processus de planification permettant de rattacher les uns aux autres les éléments essentiels du système de gestion.

Dans les organisations modernes et complexes, la fonction d'intégration s'est déplacée progressivement du duo patron-subordonné vers les équipes de direction. Chaque gestionnaire forme équipe avec les collaborateurs immédiats qui relèvent directement de lui; il est chef de cette équipe. Par ailleurs, il est membre de l'équipe constituée par son supérieur immédiat: c'est la notion du *linking pin* *.

---

*Voir Likert, Rensis, *The Human Organisation: Its Management and Value*, McGraw-Hill, New York, 1967.

La structure d'une organisation peut ainsi être représentée par une série d'équipes superposées et reliées entre elles par les gestionnaires, qui jouent le rôle d'articulations (voir tableau 12). Ces équipes constituent les pierres angulaires du cheminement de planification que nous proposons.

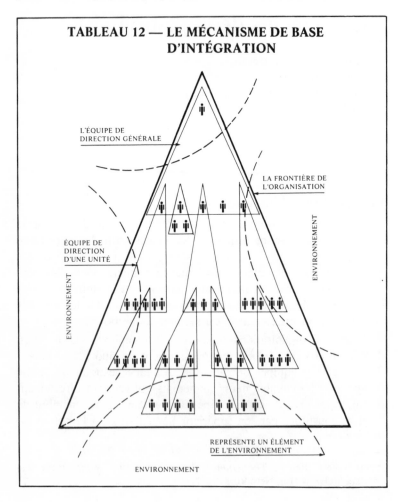

TABLEAU 12 — LE MÉCANISME DE BASE D'INTÉGRATION

L'ÉQUIPE DE DIRECTION GÉNÉRALE

LA FRONTIÈRE DE L'ORGANISATION

ÉQUIPE DE DIRECTION D'UNE UNITÉ

ENVIRONNEMENT

ENVIRONNEMENT

ENVIRONNEMENT

REPRÉSENTE UN ÉLÉMENT DE L'ENVIRONNEMENT

ENVIRONNEMENT

Qualités de la démarche

Un processus de planification valable doit revêtir certaines qualités:
- accroître chez les membres de l'organisation la connaissance des buts généraux, de même que celle des raisons d'être et des objectifs des principales unités;
- faire connaître les besoins individuels;
- assurer un haut degré d'engagement par rapport aux objectifs formulés et aux plans d'action articulés;
- favoriser la collaboration groupes-individus plutôt que de stimuler la compétition;
- équilibrer les besoins de développement de l'organisation et le maintien des opérations courantes;
- faire ressortir les choix qui indiquent clairement les priorités de l'organisation.

Etapes du processus de planification

Ce processus suppose que soient clairement définis les buts généraux de l'organisation, la raison d'être des unités et les rôles individuels. Ces éléments n'ont pas à être repris au début de chaque cycle de planification, mais chaque fois qu'un changement significatif est apporté, soit au mandat de l'organisation, soit à la structure des unités, soit encore aux rôles individuels.

Les étapes qui suivent devraient être suffisamment précises pour servir de guide; elles doivent cependant être adaptées à chaque contexte particulier. Il faut toutefois noter que deux options importantes sont sous-jacentes. La première est que le processus doit originer du haut de la hiérarchie, procéder palier par palier vers la base et faire ensuite le même cheminement à rebours. Dans un contexte où les cadres supérieurs ont plus de pouvoir, plus de capacité d'agir que ceux qui relèvent d'eux, il apparaît à la fois plus équitable et plus efficace que la direction générale mette d'abord ses cartes sur la table: en effet, ceux qui remplissent des rôles supérieurs sont censés avoir à leur disposition plus d'informations générales, non spécialisées, à influences multiples; il va donc de soi que ces informations doivent être mises à la disposition de ceux qui planifient, à tous les niveaux. Quitte à ce que ces objectifs préliminaires soient ensuite modifiés, transformés même, au cours du cheminement vers le bas et du retour vers le haut.

La seconde option sous-jacente, c'est que la détermination d'objectifs collectifs (objectifs d'équipes, d'unités ou d'ensemble, selon les cas), doit nécessairement précéder la détermination d'objectifs individuels. Les deux types d'objectifs, collectifs et individuels, sont essentiels mais puisqu'il s'agit du processus de planification de l'organisation, la séquence va forcément de soi.

Première étape — Objectifs généraux préliminaires

a) Qui: l'équipe de direction générale (habituellement formée du directeur général et des personnes relevant directement de lui).

b) Quoi: identifier les besoins de l'organisation; tracer, de façon préliminaire, les objectifs de l'ensemble.

c) Comment:
   - l'équipe fait l'analyse de la situation;
   - l'équipe détermine les objectifs généraux préliminaires;
   - l'équipe planifie la consultation des niveaux subordonnés quant aux objectifs généraux;
   - chaque membre de l'équipe s'engage à poursuivre le processus avec ses subordonnés;
   - chaque membre de l'équipe s'engage à formuler ses propres objectifs et ensuite, de concert avec ses subordonnés, à formuler ceux de son unité;
   - l'équipe fixe les échéances pour les étapes subséquentes du processus.

Deuxième étape — Objectifs d'unité

a) Qui: chaque équipe relevant directement des membres de l'équipe de direction générale (équipes du second palier).

b) Quoi:
   • communiquer les objectifs généraux préliminaires et en assurer une compréhension commune;
   • identifier les modifications à proposer quant aux objectifs généraux;
   • formuler les objectifs de l'unité.

c) Comment:
   • le chef d'équipe communique les objectifs généraux préliminaires;
   • l'équipe identifie les modifications à proposer quant aux objectifs généraux (si les modifications sont majeures, il faut retourner immédiatement à la première étape);
   • l'équipe fait l'analyse de la situation de l'unité;
   • l'équipe décide des objectifs de l'unité;
   • chaque membre de l'équipe s'engage à formuler ses objectifs individuels;
   • l'équipe arrête l'échéance de la troisième étape.

Troisième étape — Objectifs individuels

a) Qui: chaque membre des équipes concernées et le supérieur immédiat respectif.

b) Quoi: formuler les objectifs individuels.

c) Comment:
   • à partir des objectifs de son unité, d'une analyse de sa situation et de la définition de son rôle, chaque membre rédige ses objectifs individuels;
   • discussion des objectifs avec le chef de l'équipe et accord,

sujet à modifications, après les quatrième et cinquième étapes.

Quatrième étape — La concordance

a) Qui: équipes du second palier

b) Quoi:
   - mettre en commun les objectifs individuels (résultats de la troisième étape) ; les modifications au besoin;
   - revoir les objectifs de l'unité et des sous-unités, et les modifications à proposer aux objectifs généraux;
   - prévoir des moyens de collaboration;
   - s'entendre sur les moyens de contrôle communs et sur les étapes d'évaluation.

c) Comment:
   - chacun énonce ses objectifs individuels;
   - les objectifs de l'unité et des sous-unités sont revus;
   - les responsabilités conjointes sont définies, de même que les principaux moyens de collaboration;
   - l'équipe arrive à un accord précis quant aux moyens de contrôle communs qui seront utilisés, et fixe les étapes d'évaluation périodique des résultats.

Il est à noter que les deuxième, troisième et quatrième étapes se répètent autant de fois qu'il y a de niveaux hiérarchiques impliqués dans le processus.

Cinquième étape — Les objectifs généraux

a) Qui: l'équipe de direction générale

b) Quoi: mise en commun des objectifs des principales unités et approbation des objectifs généraux.

c) Comment:
   - chaque membre de l'équipe communique les objectifs de

son unité ainsi que les modifications suggérées aux objectifs généraux préliminaires;
- l'équipe discute et approuve les objectifs généraux et les objectifs des unités;
- l'équipe définit les responsabilités conjointes, de même que les principaux moyens de collaboration et fixe les étapes d'évaluation périodique des résultats.

Temps requis

Un processus de planification pour trois niveaux hiérarchiques ou plus doit être réparti sur plusieurs semaines, même quelques mois. Chaque gestionnaire qui veut s'engager dans le processus doit prévoir qu'il aura à consacrer de dix à quinze jours de son temps, parfois plus, — sans compter le temps requis pour préparer les plans d'action et participer aux étapes d'évaluation.

Certains gestionnaires croient qu'ils peuvent déterminer leurs objectifs en quelques heures; en réalité, il faut y mettre plusieurs jours et ce, principalement à cause de l'importance accordée aux objectifs des unités et de l'ensemble. Il devient donc évident que le gestionnaire passera de plus en plus de temps à planifier. La planification deviendra une de ses activités importantes.

TABLEAU 13 — SOMMAIRE DU PROCESSUS DE GESTION PAR OBJECTIFS

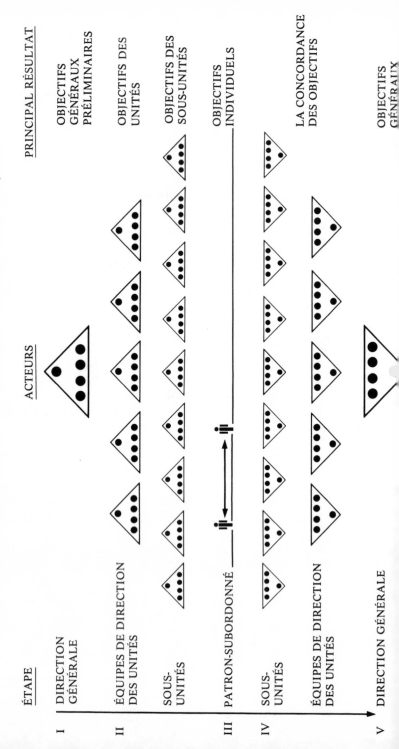

ÉTAPE		ACTEURS	PRINCIPAL RÉSULTAT
I	DIRECTION GÉNÉRALE		OBJECTIFS GÉNÉRAUX PRÉLIMINAIRES
II	ÉQUIPES DE DIRECTION DES UNITÉS		OBJECTIFS DES UNITÉS
	SOUS-UNITÉS		OBJECTIFS DES SOUS-UNITÉS
III	PATRON-SUBORDONNÉ		OBJECTIFS INDIVIDUELS
IV	SOUS-UNITÉS		
	ÉQUIPES DE DIRECTION DES UNITÉS		LA CONCORDANCE DES OBJECTIFS
V	DIRECTION GÉNÉRALE		OBJECTIFS GÉNÉRAUX

Chapitre 11

L'implantation d'un système de gestion par objectifs

Un changement majeur
Les prérequis: connaissances nécessaires, concordance avec les systèmes existants, équipe spécialisée
Le plan d'implantation
La motivation positive et négative
Les difficultés souvent rencontrées
Une implantation progressive

Un changement majeur

Le sytème de gestion par objectifs a beaucoup d'attrait pour les gestionnaires en partie à cause de son apparente simplicité. Cependant son implantation peut être un échec parce que ses promoteurs ne se rendent pas compte de l'importance du changement qu'elle implique. Il s'agit en effet d'une véritable philosophie de gestion, et non pas d'une simple technique. Pour devenir opérationnelle, cette philosophie doit être appuyée par une façon de faire, une instrumentation. Les chapitres précédents ont décrit ce que nous croyons être un minimum d'instrumentation. Pour qu'un changement aussi significatif prenne racine et donne ses fruits, il faut en planifier l'implantation et y appliquer les ressources et le temps nécessaires. Il sera maintenant question des facettes essentielles de l'implantation d'un tel système de gestion, des difficultés et erreurs souvent rencontrées.

Les prérequis

1 — Les connaissances nécessaires

Avant l'implantation du système, les gestionnaires doivent réaliser les conditions suivantes:
— connaître la nature de ce système;
— connaître le minimum d'instrumentation nécessaire;
— explorer avantages et désavantages du système;
— identifier les obstacles prévisibles;
— vouloir en faire l'essai;
— être assurés qu'ils recevront l'aide dont ils auront besoin au cours de l'implantation.

2 — La concordance avec les systèmes existants

Les gestionnaires qui veulent implanter un nouveau système de gestion doivent s'assurer que les systèmes existants, tels la budgétisation, les contrôles de gestion, la planification du personnel, la planification et le contrôle des opérations, seront accordés au nouveau système. Au tout début, il est plus facile d'adapter le nouveau système aux systèmes existants, quitte à modifier ceux-ci lorsque le nouveau système aura été rodé. Vouloir tout chambarder d'un seul trait conduit inévitablement à la confusion et à l'échec.

3 — Une équipe spécialisée

Il faut prévoir la mise sur pied d'une équipe d'implantation, formée de membres de diverses unités de l'organisation. Cette équipe sera dirigée par un gestionnaire relevant de la direction générale et engagé dans cette tâche à plein temps. Cette équipe d'implantation aura habituellement les fonctions suivantes:

a) une fonction de *conseil* auprès de la direction générale quant au rythme d'implantation du système de gestion par objectifs et quant à la cohérence à assurer entre les objectifs des diverses unités;

b) une fonction de *conseil* auprès des directions d'unités pour les aider à réaliser les diverses phases du processus;

c) une fonction d'*information* consistant à faciliter la préparation de documents d'information sur les objectifs des unités, à fournir à celles-ci une documentation pertinente sur le système de gestion, et à produire les instruments de travail (grilles et autres) appropriés et requis;

d) une fonction de *formation* consistant à assurer une formation aux personnes appropriées afin qu'elles puissent gérer selon le système de gestion par objectifs;

e) une fonction d'*intégration* en assurant la concordance avec les systèmes existants;

f) une fonction d'*évaluation* consistant à vérifier l'atteinte des objectifs visés et des résultats attendus par l'implantation de la gestion par objectifs, à identifier les difficultés de l'implantation et les conditions de sa réalisation.

Le plan d'implantation

Chaque organisation doit développer un plan d'implantation qui corresponde à sa réalité et à sa situation spécifique. Cependant, l'expérience enseigne que ce plan a de meilleures chances de succès s'il comprend le cheminement général suivant:

a) la direction générale se familiarise avec la théorie de la gestion par objectifs et en discute l'opportunité pour l'organisation;

b) avant le début de l'implantation, les gestionnaires sont sensibilisés aux notions et à l'instrumentation du système;

c) l'implantation commence en haut de la hiérarchie et procède vers le bas;

d) l'implantation dans une unité donnée ne commence pas avant que le responsable de l'unité et ses collaborateurs immédiats en soient arrivés à un consensus quant à l'opportunité d'une telle opération;

e) le processus d'implantation est planifié en détail et coordonné par le responsable de l'équipe d'implantation; celui-ci a souvent besoin de l'aide d'un conseiller externe qui garantit une certaine impartialité et l'expérience d'autres implantations.

La motivation positive et négative

L'implantation d'un nouveau système de gestion se fait pour répondre à un ou à plusieurs besoins précis: ces besoins justifient le changement. Les expliciter sous forme de résultats attendus ne peut qu'augmenter la motivation des gestionnaires concernés. Un exemple: après un an d'expérimentation de gestion par objectifs, l'équipe d'implantation d'un organisme public dressa la liste suivante de raisons d'adopter un système de gestion par objectifs: « l'utilisation de la gestion par objectifs

1) permettra de renforcer la cohésion entre les objectifs des unités administratives, tant sur le plan vertical qu'horizontal;

2) permettra aux unités administratives de situer plus clairement dans quelle direction chacune d'entre elles travaille;

3) permettra d'améliorer le processus administratif en le rendant plus systématique dans son déroulement;

4) offrira aux gestionnaires une plus grande possibilité de dégager les actions possibles et de faire des choix;

5) permettra aux unités de mieux s'entendre entre elles et de conjuguer leurs efforts pour suivre une même direction;

6) permettra une plus grande démocratisation dans les prises de décisions et, ce faisant, favorisera l'accroissement de la participation des individus dans l'organisation;

7) facilitera l'intégration du processus administratif de l'organisme à celui du ministère;

8) donnera la possibilité à chaque individu et à chaque unité de se sentir responsable de ses objectifs;

9) permettra aux unités d'identifier plus clairement les résultats attribuables à leurs réalisations;

10) mettra l'accent sur les objectifs à atteindre plutôt que sur les descriptions de tâches.»

Ayant clarifié les besoins qui motivent un changement, il est important d'identifier les obstacles réels à un tel changement. Dans le même organisme public, l'équipe d'implantation fut donc amenée à répondre à la question suivante: « Pourquoi, d'après vous, le système de gestion par objectifs ne fonctionnera-t-il pas dans votre organisation? » Loin d'être source de découragement, cette longue liste — parce qu'elle mettait à nu les problèmes réels et les contradictions au sein même de l'équipe d'implantation — fut une source d'énergie créatrice et un point tournant pour l'équipe.

« Le système de gestion par objectifs ne fonctionnera pas parce que:

— les gens n'ont pas un délai suffisant pour expérimenter;

— il y a toutes sortes de difficultés reliées au travail en groupe;

— il n'y a pas de vocabulaire commun;

— on veut engager trop d'unités à la fois;

— la période de maturation (intégration du processus) est trop courte;

— les avantages à utiliser un tel processus ne sont pas évidents: les gestionnaires ne verront pas en quoi cela peut améliorer leur sort;

— la communication demeurera trop limitée entre les niveaux (cohésion verticale et horizontale);

- l'équipe d'implantation manque de préparation et de disponibilité;
- il y a manque de cohérence entre les niveaux de gestion;
- il y a manque de motivation et de cohésion entre les membres de l'équipe d'implantation;
- le système sera perçu comme un bon moyen pour l'administration centrale de faire passer ses messages;
- excellent moyen pour « se couper le cou »: le processus oblige le gestionnaire à faire des choix qui le lient;
- en définitive, la méthode du pifomètre peut produire d'aussi bons résultats;
- symbole de rationalité et d'efficacité, cette méthode n'est pas assez axée sur l'humain;
- il y a manque d'information et de sensibilisation quant à la méthode: elle devrait équivaloir à un mode de vie;
- ce n'est pas un choix collectif mais le résultat d'une décision prise par les instances supérieures;
- cette méthode sera perçue comme une désapprobation des méthodes de gestion actuelles;
- le rôle des services du siège social par rapport aux unités opérationnelles n'est pas suffisamment clarifié;
- ce sera perçu comme un outil de manipulation;
- les gestionnaires ne sont pas intéressés à changer leurs méthodes de fonctionnement;
- les mécanismes de consultation entre les unités de l'organisation seront insuffisants ou trop lourds;
- cette méthode sera perçue comme une formule miracle qui amènera des désenchantements;
- l'équipe d'implantation n'est pas consciente des responsabilités et du rôle privilégié qu'elle doit assumer quant au rythme d'implantation et quant à la perception des besoins du milieu ».

Les difficultés souvent rencontrées

Distinguons trois foyers de difficultés:

A — les difficultés reliées à la philosophie de base de la gestion par objectifs;

B — les difficultés causées par le temps requis pour son implantation;

C — les difficultés dues aux imperfections de la gestion par objectifs et aux moyens utilisés pour l'implanter.

Ces difficultés, il va sans dire, varieront d'une organisation à une autre. Il est important de les identifier au moment d'amorcer l'implantation de la gestion par objectifs. Le tableau qui suit décrit quelques difficultés et suggère des moyens pour en diminuer l'impact.

Difficultés	Suggestions pour réduire la difficulté
A — Difficultés reliées à la philosophie de la gestion par objectifs	
1 Climat général de méfiance — les gestionnaires prennent peu de risques — l'auto-contrôle apparaît problématique.	Se servir de la discussion sur l'implantation pour remettre en question les valeurs et les normes.
2 Style de leadership autoritaire.	Commencer la mise en place par le haut de la hiérarchie; procéder lentement et dans la mesure où la délégation se fait effectivement.
3 Peu d'aptitudes pour le travail en équipe.	Mettre l'accent sur la préparation d'objectifs d'unités en utilisant des conseillers-maison capables d'aider les équipes à mieux fonctionner.

4 La haute direction ne dirige pas par objectifs mais voudrait que les échelons inférieurs le fassent.	Les difficultés seront très grandes. Procéder de façon limitée et concentrer les efforts surtout sur les opérations courantes.

B — Difficultés causées par le temps requis

5 La constatation que deux à trois années sont requises pour que ce système de gestion fonctionne de façon satisfaisante.	Mettre l'accent sur le système général de gestion que constitue la gestion par objectifs; mettre en évidence les résultats positifs dès qu'ils apparaissent dans la mise en application.
6 Les gestionnaires se rendent compte que plusieurs jours sont nécessaires pour déterminer leurs objectifs.	Prévoir au moins quelques mois pour la recherche d'objectifs réalistes; plusieurs gestionnaires n'ont pas d'objectifs explicites: il sera difficile pour eux d'en formuler.
7 La découverte que ce système de gestion exige de passer plus de temps à *gérer* qu'à *faire*.	Mettre l'accent sur la nécessité de la délégation: c'est là un des principaux avantages de la gestion par objectifs.

C — Difficultés dues aux imperfections du système de gestion par objectifs

8 Présenter la gestion par objectifs comme le remède à tous les maux de la gestion: l'enthousiasme de quelques-uns peut en dissuader d'autres.	Limiter et concrétiser, au départ, les objectifs poursuivis par l'implantation du système.

9 La gestion par objectifs ne s'applique pas de la même façon à toutes les fonctions ou à tous les services.	Commencer l'implantation dans les secteurs qui s'y prêtent le mieux; reconnaître que chaque fonction ne requiert pas le même degré de planification; ne pas viser à produire un « gros cahier » d'objectifs.
10 Le cycle de travail varie d'une fonction à une autre.	Prévoir des objectifs à long et à court terme; ne pas nécessairement viser à des objectifs annuels pour toutes les fonctions.

Une implantation progressive

On se demande souvent s'il est possible d'utiliser les concepts et l'instrumentation de la gestion par objectifs dans une partie seulement d'une organisation. Bien sûr que oui! Le responsable d'un service peut, de concert avec ses collaborateurs, mettre en pratique l'essentiel du système décrit. L'expérience indique que dans ces cas la démarche d'un service a souvent un effet d'entraînement: ce service fonctionne mieux et, par le fait même, acquiert plus de pouvoir, plus de capacité d'agir. La clarté des objectifs, pour un groupe comme pour un individu, devient une source importante de pouvoir. Ceux qui, par ailleurs, ne savent pas trop où ils vont ont des difficultés à s'y rendre.

Il est souhaitable de procéder par étapes et par paliers hiérarchiques pour introduire le système de gestion par objectifs dans une organisation. Les objectifs d'implantation doivent être réalistes!

Sommaire

Pour que l'implantation du système de gestion par objectifs dans l'ensemble d'une organisation soit un succès, il faut

- que la haute direction y croie et soit impliquée dans le processus;
- que les gestionnaires en comprennent les concepts;
- que les gestionnaires à tous les niveaux — mais en particulier les cadres supérieurs — soient prêts, au moins en principe, à engager leurs subordonnés dans la détermination des objectifs;
- qu'une équipe spécialisée soit mise sur pied pour coordonner la mise en place du système et fournir aux gestionnaires l'aide dont ils auront besoin;
- que la haute direction conçoive l'organisation comme étant un système ouvert;
- que le plan d'implantation s'échelonne sur une longue période et que sa responsabilité incombe à un cadre supérieur, sinon au directeur général;
- qu'une évaluation réaliste soit faite des coûts en temps et en personnes ressources internes et externes;
- qu'on y consacre beaucoup d'énergie.

Troisième partie:
sur l'art de la gestion

Chapitre 12

Le travail d'équipe

A cause de la complexité des systèmes organisationnels, le système de gestion décrit dans les chapitres précédents exige que les gestionnaires travaillent en équipe aux étapes importantes de la planification et de l'évaluation. Même sans un tel système de gestion, les difficultés d'intégration dans les grandes organisations obligent les gestionnaires à se regrouper constamment en équipes ou en comités de toutes sortes. Ce phénomène n'est pas nouveau. De tout temps les hommes se sont regroupés pour résoudre des problèmes et pour prendre des décisions. Ce besoin a été accentué par la grande complexité des organisations modernes, par la spécialisation et aussi par l'importance accrue des valeurs démocratiques dans notre société.

Les gestionnaires avec qui nous avons été en contact au cours des dernières années, tout en reconnaissant le besoin de travailler en équipe, sont généralement insatisfaits des résultats et perplexes quant aux possibilités d'amélioration du travail en équipe. Malgré tout, ils persistent à croire aux propriétés synergétiques du travail d'équipe. Dans le cadre de sessions de formation pour gestionnaires, nous avons, en effet, fait faire à plus de 500 participants, un exercice de prise de décision où l'on peut comparer les résultats individuels aux résultats d'équipe en tenant compte du temps requis et du degré de satisfaction: presque tous étaient surpris mais heureux de vivre une expérience positive quant aux possibilités du travail d'équipe.

Contexte de notre expérience

Depuis que nous exerçons le métier de conseiller en gestion, plusieurs clients, responsables d'équipes, ont fait appel à nos services « pour les aider à améliorer le fonctionnement de leur équipe » (une vingtaine d'équipes par année au cours des cinq dernières années). Nous utiliserons cette expérience pour commenter le travail d'équipe.

Les demandes d'aide viennent généralement des chefs d'équipes. Parfois ceux-ci sont aiguillonnés par un ou plusieurs membres, insatisfaits du fonctionnement de l'équipe. Dans la plupart des cas, le besoin d'amélioration est ressenti par le chef d'équipe et formulé ainsi: « les objectifs ne sont pas clairs », « le fonctionnement est moins que satisfaisant », « il y a des difficultés entre les membres », ou encore, très souvent, « on veut que l'équipe se perfectionne ». Il s'agit habituellement d'équipes de direction (souvent la haute direction qui peut plus facilement se payer le «luxe» d'un conseiller externe). On rencontre également des équipes spéciales, temporaires, formées pour résoudre des problèmes particuliers ou pour piloter des changements majeurs. Abordons d'abord le cas des équipes de direction.

Equipes de direction

La forme de l'intervention auprès de ces équipes a certes varié avec les circonstances particulières. Voici cependant le canevas de la plupart de nos interventions:

1 — des entrevues avec le chef d'équipe: recherche de ses motifs véritables et des objectifs; certains leaders veulent parfois se servir d'un conseiller pour mieux manipuler leur équipe ou pour liquider un membre;

2 — des rencontres avec chaque membre de l'équipe dans le but d'établir le contact, de connaître le contexte dans lequel fonctionne l'équipe et ses membres, et de faire un relevé des points forts et faibles de l'équipe; d'habitude le conseiller pose des questions du type suivant:

- Quels sont les points forts et points faibles de l'équipe?
- Quels sont les problèmes prioritaires auxquels vous devez faire face?
- Quelles sont vos attentes par rapport au travail que nous allons faire ensemble?

3 — une session de travail intensif de deux à trois jours avec l'équipe;

4 — un suivi.

Quand y a-t-il équipe?

Pour que l'on puisse parler d'une équipe dans une organisation (et non pas d'un simple rassemblement), il faut

1 — *qu'il y ait au moins un objectif commun.* Des collaborateurs qui s'informent les uns les autres ne créent pas une équipe. S'il n'y a que des objectifs individuels, il n'y a pas d'équipe. Plusieurs directeurs généraux s'imaginent que leurs collaborateurs immédiats vont faire équipe avec eux autour de leurs objectifs à eux: c'est une erreur qui explique le peu d'enthousiasme et le manque de solidarité de plusieurs équipes de direction;

2 — *qu'il y ait une structure.* Une équipe n'est jamais spontanée, elle reçoit son mandat de quelque part; un des membres est reconnu comme le chef, comme celui qui a des comptes à rendre au mandataire.

Par où commencer?

Ayant établi qu'il y a bel et bien équipe, que son leader et ses membres veulent en améliorer le rendement, par où faut-il commencer? Au cours d'entrevues semi-structurées (voir questions types plus haut), émerge habituellement toute la gamme des dimensions du travail en équipe. Les préoccupations des équipes peuvent se regrouper sous quatre grandes catégories, à savoir:

1 — Les objectifs

Quels sont les résultats visés par l'équipe?

2 — Les responsabilités individuelles

Dans la poursuite des objectifs de même que dans le fonctionnement interne de l'équipe, quels sont les rôles respectifs des membres? Ont-ils des attentes claires les uns par rapport aux autres?

3 — La prise de décision

- Comment se prennent les décisions?
- Quelles méthodes utilise-t-on pour résoudre les problèmes?

4 — Les relations interpersonnelles

- Comment les collaborateurs communiquent-t-ils entre eux?
- Y a-t-il des conflits de personnalité, mises à part les mésententes aux niveaux des objectifs, des rôles ou des méthodes de travail?
- Le climat est-il hostile, défensif, détendu, coopératif?

A l'expérience, nous proposons aux équipes d'aborder les préoccupations dans l'ordre cité. L'équipe peut cependant décider d'inverser l'ordre de discussion des problèmes. Il est certain que ces catégories de préoccupations se chevauchent et qu'en clarifiant les objectifs, il faut souvent négocier les rôles ou démêler des relations interpersonnelles difficiles. L'expérience nous a toutefois convaincu que c'est une erreur que de procéder dans le sens inverse.

Il faut maintenant reprendre chacun des niveaux de préoccupations pour les mieux définir.

Les objectifs

Il faut distinguer entre les objectifs de l'unité ou de l'organisation et ceux de l'équipe même. Il est en effet difficile de s'entendre sur les seconds sans que les premiers aient été clarifiés. Dans tous les cas où un processus bien défini n'existe pas pour arriver à la détermination des objectifs, les membres d'une équipe de direction sont toujours surpris des différences d'opinions quant aux objectifs de leur organisation ou de leur unité. Parfois ces malentendus sont dramatiques. Par exemple, au sein d'une équipe composée d'Américains et de Français, responsables d'une société mixte, les deux groupes nationaux poursuivaient des objectifs très différents et n'en étaient pas conscients, ce qui mettait sérieusement l'entreprise en danger. Le président croyait avoir clairement « communiqué » les résultats communs à atteindre pour que le bailleur de fonds continue son appui (il s'agissait d'une entreprise de recherche industrielle) et a été plus que surpris des réponses fournies par les onze membres de l'équipe de direction à la question: Quels sont les objectifs que poursuit l'entreprise? Ces réponses témoignaient de deux conceptions très différentes, même en ce qui avait trait aux résultats à court terme. Il n'y a pas de solution magique à ce genre de situation et, souvent, le mieux que l'on puisse espérer, c'est que l'équipe se donne comme objectif de formuler clairement les objectifs de l'unité qu'elle dirige.

Les moyens pour y arriver ont été clairement indiqués, nous l'espérons, dans les chapitres précédents.

Quant aux objectifs de l'équipe même, ils devront être en harmonie avec ceux de l'unité. De plus, il est souhaitable qu'une équipe se discipline pour toujours préciser les objectifs de ses réunions. Il est tellement facile de se réunir pour discuter, faire rapport, vaquer à mille et une choses sans but précis. Ces discusions ne mènent habituellement à rien de concret.

La clarification des objectifs est un aspect essentiel du travail d'équipe. Les méthodes décrites dans ce livre peuvent être utilisées à cette fin.

Les responsabilités individuelles

La composition d'une équipe est habituellement le résultat d'une réflexion. Les membres y sont présents à cause de leur fonction, de leur expertise ou de leur représentativité. Chacun a donc, au sein de l'équipe, des responsabilités propres. Ajoutées à la personnalité de chacun et à l'histoire de leurs relations interpersonnelles, ces responsabilités forment le tissu des attentes que les membres ont les uns par rapport aux autres. Lorsqu'une équipe est formée, et chaque fois par la suite qu'elle sent le besoin de revoir son fonctionnement, ces responsabilités individuelles et ces attentes doivent être clarifiées.

Pour accomplir cette tâche, nous proposons de faire une « négociation de rôles * ». La méthode nécessite l'intervention d'une personne extérieure à l'équipe. Chacun des membres de l'équipe déjà constituée prépare trois listes par rapport à chaque autre membre:

    1) ce qu'il fait et devrait continuer de faire;
    2) ce qu'il fait et devrait cesser de faire;
    3) ce qu'il ne fait pas et devrait faire.

---

*Nom donné à cette méthode par celui qui l'a développée, le conseiller américain travaillant en Angleterre, Roger Harrison.

Le conseiller compile toutes les données sur chaque membre de l'équipe. Ensuite, elles sont revues pour chacun, une à une, en présence de toute l'équipe. Celui qui est sur la sellette peut demander des clarifications et accepter ou non de se conformer aux demandes des autres. Le but est de clarifier ces demandes et de s'entendre quant aux responsabilités propres à chacun.

Cette méthode exige de deux à cinq heures de travail pour chaque membre de l'équipe. Elle déborde également sur les méthodes de travail et sur le style de leadership de chacun. Elle a le grand mérite d'être simple et de mettre l'accent sur ce que font les personnes concernées plutôt que sur leurs personnalités ou les raisons pour lesquelles elles font ce qu'elles font.

Une équipe, c'est une entité morale distincte de la somme de ses membres, où chacun a des responsabilités propres. Trop de gestionnaires se servent d'équipes pour diluer leurs responsabilités. Trop de membres se cachent derrière leurs équipes pour camoufler leur immobilisme ou leur trop faible contribution.

La prise de décision

Parmi les méthodes de travail, il faut examiner particulièrement les façons de résoudre des problèmes et de décider. La décision est au centre de la gestion. Il faut distinguer entre l'acte de décider et le processus de prise de décision, ce dernier comprenant l'identification et la résolution des problèmes. Choisir des objectifs implique toute une série de décisions. Le processus de prise de décision habituel d'une équipe aura donc une influence déterminante sur la qualité de son travail.

Le processus de décision comprend toujours trois phases:

1 — l'identification des données de la situation:
- de quoi s'agit-il?
- qu'est-ce qui est visé?
- quels sont les facteurs importants?

2 — l'analyse de solutions possibles;

3 — le choix d'une solution ou la décision.

On retrouve d'ailleurs ces phases dans la méthode d'analyse des forces présentée au chapitre 8 comme moyen de préparer un plan d'action. Pour une équipe, il est important (a) qu'elle distingue *la nature des décisions qu'elle doit prendre:* s'agit-il d'une décision de routine, d'une décision technique ou d'une décision d'orientation? De plus, cette décision est-elle simple ou complexe? (b) d'établir clairement *à quel système ou sous-système appartient une décision.* En d'autres mots, il faut se demander qui doit participer à cette décision? Par exemple, dans une équipe de direction, le directeur de l'équipement avait soulevé un problème de stationnement pour employés et visiteurs, créé par la mise en chantier d'un nouvel édifice. Spontanément, les membres de l'équipe plongèrent dans le problème. Quelles sont toutes les données? Quelles sont les solutions possibles? Notre intervention fût de demander: « Toute cette décision vous appartient-elle, sinon, quelle partie est la vôtre? » Rapidement, l'équipe détermina qu'elle devait décider de la politique à suivre, à savoir: que l'organisation rende disponible le même nombre d'emplacements pour chaque groupe et au même coût que l'année précédente pour les employés et les visiteurs; tout le reste de la décision appartenait soit au directeur de l'équipement, soit à des membres de son sous-système. Cette équipe avait l'habitude de travailler plusieurs heures chaque semaine à prendre des décisions qui ne lui appartenaient pas; (c) de connaître et d'utiliser quelques méthodes permettant une *analyse systématique des données* et *l'élaboration de plusieurs solutions possibles.* La méthode dite des « champs de forces » * est particulièrement bien adaptée aux problèmes de type humain. Pour les problèmes techniques, la méthode « Kepner-Trego » ** est plus adaptée. Lorsque la situa-

---

*Voir chapitre 8.
**Kepner, C.H., Tregoe, B.B., *The Rational Manager,* McGraw-Hill, New York, 1965.

tion exige la création d'une approche totalement différente
la « Synectics » * est appropriée; (d) de préciser les *divers types
de décisions* et les *modalités selon lesquelles le choix doit se faire.*
Dans un cas, il faudra l'unanimité, dans un autre, les consensus.
Il y aura aussi des décisions majoritaires et d'autres qui seront
réservées à une minorité des membres de l'équipe. Lorsque le
choix doit être approuvé par un seul membre (souvent le chef de
l'équipe), il ne s'agit plus d'une décision d'équipe, mais d'une
décision individuelle, avec ou sans consultation.

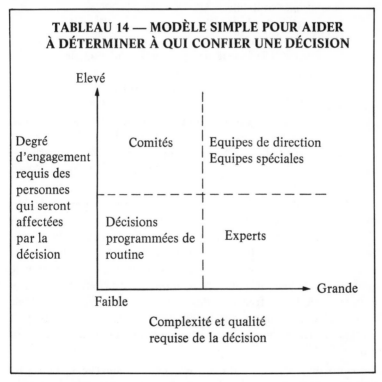

**TABLEAU 14 — MODÈLE SIMPLE POUR AIDER
À DÉTERMINER À QUI CONFIER UNE DÉCISION**

Elevé

Degré
d'engagement
requis des
personnes
qui seront
affectées
par la
décision

Comités

Equipes de direction
Equipes spéciales

Décisions
programmées de
routine

Experts

Faible

Grande

Complexité et qualité
requise de la décision

*Gordon, William J.J., *Synectics,* Harper and Row Publishers Inc., New
York, 1961.

Les relations interpersonnelles

Une équipe, c'est un groupe d'humains, avec tout ce que cela comporte de réactions émotives et affectives. Le *climat socio-affectif* exerce une influence sur l'atteinte des objectifs. Ce climat est la résultante de plusieurs facteurs, dont, entre autres:

- la façon de déterminer la composition de l'équipe,
- la connaissance des membres entre eux,
- la confiance mutuelle,
- le partage du leadership,
- le style de direction,
- la capacité et la liberté des membres d'adopter des attitudes de solidarité,
- la façon d'aborder et de régler les conflits,
- la possibilité de satisfaire les intérêts individuels,
- la cohérence des diverses dimensions importantes de la « culture » des membres, telle l'autorité du chef,
- la structure plus ou moins rigide selon les circonstances.

Une équipe de travail, ce n'est toutefois pas un groupe de formation en relations humaines. Dans plusieurs sociétés, au cours de la dernière décennie, on a souvent abusé de l'approche « relations humaines » en forçant l'authenticité et le dévoilement de soi. L'équipe de travail est certes responsable d'un minimum de confort psychologique pour ses membres et ce confort repose en grande partie sur la franchise des relations interpersonnelles. Mais il faut se garder, nous semble-t-il, des artifices et jeux visant à « prendre des risques » excessifs dans la communication avec autrui.

Dans une équipe de travail, les relations interpersonnelles ne doivent donc pas être abordées en dehors du contexte de travail. Les membres de l'équipe ont généralement un passé et un avenir communs, en plus de l'inévitable différenciation de pouvoir, due à la position hiérarchique de chacun. Et c'est précisément dans ce contexte du meilleur fonctionnement de l'équipe que toute information utile doit être partagée avec les membres, chacun restant cependant libre d'établir les frontières entre vie privée et vie professionnelle.

Equipes spéciales

Ce qui précède s'applique presque en totalité aux équipes spéciales *(task forces)*. Ces équipes temporaires et multidisciplinaires doivent surmonter trois grandes difficultés:

- les différences de langage, les mots n'ayant pas la même signification pour les uns et les autres, et la tendance de chaque discipline à créer un langage hermétique;
- l'angoisse de laisser d'autres pénétrer dans sa chasse-gardée;
- la position qu'occupent les membres de l'équipe dans la hiérarchie.

Voici quelques indications pouvant servir de guide pour cette opération délicate.

1. Le mandat

Lors de la formation d'une équipe spéciale, il est nécessaire de préciser les aspects suivants:

- de qui relève-t-elle?
- quels sont les objectifs dont elle sera responsable?
- quelles sont ses responsabilités (recommandations, décisions)?
- quelle est la durée du mandat?
- avec qui peut-elle entrer en contact?
- quel est le mécanisme de coordination avec d'autres équipes oeuvrant dans le même secteur (s'il y a lieu)?
- pour chaque membre de l'équipe, quelle est la priorité à donner à ce travail par rapport à son travail habituel?

2. La composition

Le *membership* dépend de l'envergure des objectifs. Il est souhaitable que soit représenté chacun des principaux sous-systèmes directement affectés par le changement à planifier ou par les résultats à atteindre. Trois critères sont à retenir pour le choix des membres d'une équipe temporaire:

— ceux-ci doivent avoir une compétence ou une expertise qui leur permettra de contribuer efficacement à la tâche;

— ils doivent être, au moins en partie, responsables des suites à donner au travail de l'équipe;

— leur participation à l'équipe doit être volontaire.

3. Les objectifs

A partir du mandat, l'équipe doit définir sa raison d'être, effectuer une analyse de la situation, et préciser ses objectifs.

4. Les méthodes de travail

a) LA STRUCTURE:

il est essentiel de définir les fonctions au sein de l'équipe:

— les secteurs particuliers de préoccupation,

— les rapports et autres travaux,

— la direction,

— la fréquence et la convocation des réunions.

b) LA PRISE DE DÉCISION:

Quels seront les types de décision à prendre et selon quelles modalités (consensus, majorité, rapports séparés, veto d'un membre) ?

c) L'ANALYSE ET LA PLANIFICATION:

L'équipe devra s'entendre sur ses méthodes d'analyse du problème à traiter ou du changement à implanter.

5. Les valeurs

Il est souhaitable que l'équipe clarifie le plus tôt possible les attitudes fondamentales qui orientent son action. Par exemple: que signifie la participation des employés? sur quoi portera-t-elle? quand s'agit-il d'informer ou de consulter? Dans quelle mesure les membres sont-ils en accord avec le mandat et les objectifs qui en découlent?

L'importance du travail d'équipe

Un travail d'équipe soutenu, efficace et gratifiant est un facteur absolument indispensable au système de gestion de toute organisation moderne et complexe. L'ancienne relation patron-subordonné, basée sur la domination du premier sur le second, est remplacée par une interdépendance réelle dans l'élaboration des objectifs et dans leur poursuite. L'évaluation aussi doit d'abord être une affaire d'équipe et non plus le domaine privilégié du patron-juge. Voilà qui implique des changements profonds d'attitudes chez beaucoup de gestionnaires et l'acquisition d'habilités à travailler en équipe.

Questionnaire visant à faciliter
l'analyse de l'efficacité d'une équipe

INSTRUCTIONS:

1 — Compléter le questionnaire individuellement
2 — Mettre en commun les résultats
3 — Discuter des sujets où il y a des écarts importants ou qui sont insatisfaisants.

1. Les objectifs que nous poursuivons en tant qu'équipe sont:

Confus						*Définis*
1	2	3	4	5	6	7

2. Les rôles respectifs des membres au sein de l'équipe sont:

Imprécis						Précis
1	2	3	4	5	6	7

3. Les ressources de chaque membre de l'équipe sont utilisées de façon

Insatisfaisante					Satisfaisante	
1	2	3	4	5	6	7

4. Comme équipe nous prenons des décisions de façon

Inefficace					Efficace	
1	2	3	4	5	6	7

5. Mes idées et mes opinions sont écoutées

Peu					Beaucoup	
1	2	3	4	5	6	7

6. La répartition du droit de parole est

Peu satisfaisante					Satisfaisante	
1	2	3	4	5	6	7

7. L'utilisation que nous faisons du temps disponible est

Mauvaise						Bonne
1	2	3	4	5	6	7

8. Satisfaction générale quant au progrès de l'équipe

Insatisfait					Satisfait	
1	2	3	4	5	6	7

Chapitre 13

Délégation, participation et consultation

Le leadership

Le leadership, c'est la façon d'exercer le pouvoir. C'est donc une notion qualitative. Celui ou celle qui mobilise et canalise facilement les énergies des personnes engagées dans un projet, a *beaucoup de leadership,* ou est un leader valable. Le pouvoir, c'est la capacité d'agir. Il y a, bien sûr, plusieurs sources de pouvoir telles: la connaissance, l'expertise, l'information, la position hiérarchique et le charisme. Poser l'option de la gestion par objectifs, c'est poser en profondeur le problème de l'opportunité d'un partage effectif du pouvoir. Ou bien le gestionnaire est investi du pouvoir et il peut alors régler judicieusement son comportement en conséquence à la manière d'un roi avec ses sujets, ou bien le pouvoir est considéré comme un phénomène collectif. Dans ce deuxième cas, chaque personne peut agir, du moins en partie, de façon indépendante et la préoccupation du leader est de favoriser une mobilisation des énergies ou des capacités d'agir de sorte que les résultats soient satisfaisants à la fois pour l'ensemble et pour chacun. Dans cette optique, une personne ne peut exercer le leadership sans le consentement ou au minimum la collusion des personnes concernées.

Le système de gestion par objectifs proposé dans ces pages s'appuie fondamentalement sur cette conception d'un pouvoir partagé. Gérer par objectifs suppose en effet un tel engagement, un tel partage des responsabilités, une telle solidarité, que le système n'est pas applicable sans reconnaître ouvertement et désirer un partage effectif du pouvoir.

Styles de leadership

Le gestionnaire doit exercer un rôle de leadership auprès de ceux qui relèvent de lui. Il est responsable de l'intégration du travail au sein de son unité, et doit se préoccuper de coordonner le travail de son unité avec celui des autres unités de l'organisation. Il va de soi que la façon de diriger d'un gestionnaire varie avec sa personnalité. Telle personne a naturellement tendance à essayer de convaincre ses collaborateurs du bien fondé d'une décision qu'il a prise, alors que telle autre énoncera sa décision et laissera à ses collaborateurs la responsabilité de faire valoir leurs points de vue. Chacun peut à partir de son expérience mettre ainsi en opposition des différences de style qui sont dues à des personnalités différentes. Ces différences ont amené des théoriciens des sciences du comportement à rechercher les styles de leadership les plus efficaces. Cette recherche s'est avérée futile pour trois raisons. Premièrement, la personnalité du gestionnaire a été façonnée par trente, quarante ou cinquante ans d'expérience de la vie. Lui demander de se conformer à un style de fonctionnement, fût-il idéal, c'est lui proposer de remettre en question, de retarder, d'empêcher ses réactions spontanées. Celui qui veut se conformer à des modèles théoriques plutôt qu'à la logique de sa propre démarche ne pourra subsister longtemps dans la réalité quotidienne des organisations. Non pas que tous les comportements soient valables ou fonctionnels. Au contraire. Mais nous favorisons la spontanéité et l'authenticité qui permettent d'être conséquent avec soi-même et avec les autres: le gestionnaire écoutera donc avec discernement les avis qui lui sont donnés.

Deuxièmement, les situations auxquelles doit faire face le gestionnaire sont très différentes les unes des autres. Les collaborateurs sont multiples; les tâches à accomplir sont très variées; le contexte externe se modifie constamment. Le même gestionnaire aura donc à utiliser des styles de direction différents suivant les situations.

Troisièmement, mettre l'accent sur les styles de direction, c'est mettre l'accent sur l'*autorité*. Or, ce n'est pas l'autorité, mais la *responsabilité* qu'il faut organiser. Le gestionnaire moderne n'est pas l'ancien maître, le patron-propriétaire ou le seigneur: il n'en a d'ailleurs ni l'autorité, ni la crédibilité. C'est un supérieur, et aussi un collègue de travail. La relation de travail doit être basée sur le respect mutuel.

Nous ne proposerons donc pas de style idéal de leadership. Une fois résolu le partage effectif du pouvoir, nous appuyons plutôt la spontanéité et l'authenticité.

La clarification de trois notions fondamentales de l'art de diriger, délégation, participation et consultation fournira de plus au gestionnaire des éclaircissements sur la façon de faire le partage des responsabilités et du pouvoir entre lui et ses collaborateurs.

La délégation

La délégation, c'est un « acte par lequel le dépositaire d'un pouvoir en transfère l'exercice à un fonctionnaire ». L'aspect essentiel de cette définition du dictionnaire Larousse, c'est le *transfert*. Pour le gestionnaire, déléguer veut dire transférer à une personne qui relève hiérarchiquement de lui, la *responsabilité* de l'atteinte d'un objectif ou de l'accomplissement d'une tâche, la tâche désignant une activité spécifique qu'un individu ou un groupe est appelé à assumer.

La délégation suppose évidemment le *droit à l'erreur:* une conception perfectionniste qui refuserait d'admettre toute possibilité d'erreurs exclurait toute délégation. La délégation repose sur la *confiance*.

La délégation comprend cinq étapes:

1. la clarification de l'objectif à atteindre, du problème à résoudre ou de la tâche à accomplir;
2. la communication de cet objectif, problème ou tâche;
3. l'entente sur les critères et les étapes d'évaluation;
4. la précision des limites de l'autorité transférée;
5. le suivi: les comptes à rendre au mandataire.

Le premier chapitre décrivait le gestionnaire modèle comme celui qui se libère de son travail, celui qui a appris, par expérience, à laisser fonctionner avec autonomie les sous-systèmes qui relèvent de lui. Cette autonomie n'est possible que par la délégation Dans les descriptions de tâches de directeurs généraux d'institutions publiques, on retrouve encore des phrases telle: « le directeur général est le premier et dernier responsable... » L'interprétation de cette expression limitera souvent la possibilité de déléguer. Même si telle était l'intention du législateur, cette conception de la gestion est totalement dépassée.

Certains facteurs qui peuvent bloquer la délégation:

a) de la part du supérieur:
   • il croit pouvoir atteindre l'objectif ou accomplir la tâche de façon plus adéquate que le subalterne,
   • il est incapable de donner des directives,
   • il ne veut pas prendre de risques,

- il veut contrôler le choix des moyens de ses collaborateurs,
- il ne connaît pas suffisamment ses subalternes et ne peut leur faire confiance,
- il a eu des expériences malheureuses,
- il ne fait pas également confiance à tous ses collaborateurs: plutôt que d'être accusé de jouer aux favoris, il ne délègue à personne;

b) de la part du subalterne:

- il craint les responsabilités,
- il est surchargé de travail,
- il a peur de la critique,
- il manque de confiance en lui-même,
- il manque de confiance en son supérieur,
- il n'a pas d'objectifs suffisamment précis,
- il a eu des expériences malheureuses,
- il sous-estime le pouvoir qu'il a.

En résumé, la délégation inclut

- un transfert de responsabilité,
- une acceptation de cette responsabilité,
- la confiance mutuelle,
- un suivi.

La participation

La participation est un cas particulier de la délégation dans lequel le subordonné acquiert un plus grand contrôle, une plus grande liberté de choix, en rapport avec ses propres responsabilités.

(Douglas MacGregor)

Inviter à la participation dans la résolution d'un problème, dans le travail d'un comité, dans l'étude d'une situation, dans la formulation d'objectifs, n'implique pas *de facto* la délégation de la décision. Il est essentiel que celui qui invite à une participation précise le mode de prise de décision qu'il souhaite. Suivant le cas, il faut qu'il y ait entente quant aux mécanismes de prise de décision dès le début de la participation. S'agira-t-il d'une décision prise par unanimité, par consensus, par majorité démocratique, par minorité (préciser qui sera la minorité)? Le manque de précision du mode de prise de décision est la plus grande source de frustration dans la participation. C'est aussi hélas! un moyen de manipulation fort fréquent. Laisser croire à des gens qu'ils vont décider d'une chose, alors qu'on les invite à faire valoir leurs points de vue et que l'on se réserve le droit de décider, amène une méfiance justifiée envers les gestionnaires et un refus de participer.

La participation, c'est l'«action de prendre part à», cette action n'implique pas nécessairement un transfert de responsabilité et d'autorité. S'il est indispensable de préciser d'abord à quoi les participants vont « prendre part », il est essentiel et crucial d'expliciter ensuite le mécanisme de prise de décision.

La consultation

En plus de déléguer et d'inviter à la participation, le gestionnaire doit fréquemment consulter ses subalternes, ses supérieurs, ses pairs, et plusieurs autres personnes pouvant fournir des données ou des opinions qui influenceront ses objectifs, ses décisions et ses actions. Consulter, c'est demander un avis ou un conseil; c'est demander de l'aide. Il n'y a donc pas de transfert de responsabilité ni d'implication dans le processus de prise de décision. Pour qu'une consultation soit valable, il faut

1) qu'elle soit basée sur une information solide ou du moins qu'elle mène à la production de données pertinentes;
2) que celui qui demande de l'aide préserve son autonomie par rapport aux choix à faire;
3) que celui qui demande de l'aide se sente vraiment engagé par rapport aux décisions à prendre, suite à la consultation.

La clarté

Le gestionnaire doit bien comprendre les distinctions entre déléguer, participer et consulter. Il doit être très précis, en particulier avec ses subalternes, quant aux processus dans lesquels il cherche à les engager. La participation est à la mode. La tentation est grande d'utiliser la participation — sans transfert de responsabilité — pour faire assumer par d'autres ses propres responsabilités. Cela crée beaucoup de confusion. Il faut bien distinguer entre une séance d'information et une séance de participation.

L'un des concepts clés du système de gestion décrit dans ce livre est le suivant: *il est nécessaire que chaque gestionnaire participe à l'élaboration des objectifs dont il sera responsable,* et *qu'il soit consulté quant aux objectifs généraux.* D'une part, il faut que chaque supérieur précise avec ses subalternes le mécanisme de prise de décision entre eux, quant à leurs objectifs. En effet, voilà bien un cas où le consensus est souhaitable! D'autre part, l'organisation doit prévoir un processus pour que les gestionnaires puissent être consultés quant à la définition des objectifs généraux.

En guise de conclusion

Dans un rapport-bilan sur la gestion par objectifs dans l'administration publique britannique, M. C.J. Hancock écrit en février 1974:

> Des bénéfices substantiels, dont plusieurs semblent durables, ont été acquis durant les premières cinq années d'expérience en gestion par objectifs dans les services gouvernementaux.

Ce bilan fait état des expériences dans 10 ministères et de 45 projets engageant 12,500 gestionnaires responsables d'une main-d'oeuvre de 93,000 personnes. Hancock conclut de la manière suivante:

Nous avons encore beaucoup de chemin à faire; certains secteurs peuvent bénéficier plus que d'autres de la gestion par objectifs; elle peut être mal pratiquée; cependant mes vingt années d'expérience me convainquent que la gestion par objectifs, appliquée de façon pratique et flexible, offre le meilleur et le plus complet des véhicules que nous ayons découverts pour l'introduction et le maintien d'un style de gestion efficace.

Ce témoignage concorde avec notre expérience de conseiller auprès d'entreprises privées et publiques.

Nous voulions dans ce volume présenter la gestion de façon générale et pratique et la rendre accessible à tous ceux qui occupent des fonctions de direction, quels que soient leur niveau hiérarchique, leur expérience et leur formation académique. Ce livre veut servir de complément à leur bon sens.

Bibliographie

AUBRY, J.-M. et
ST-ARNAUD, Y.,
La Dynamique des groupes,
Editions de l'Homme —
Editions du CIM,
Montréal, 1975.

BECKHARD, R.,
*Organization Development:
Strategies and Models,*
Addison-Wesley, Reading,
Massachusetts, 1969.

DALLE, F. et
BOUNINE-CABALE, J.,
L'Entreprise du futur,
Calmann-Lévy, Paris, 1971.

DRUCKER, P.F.,
*Management-Tasks,
Responsibilities, Practices,*
Harper and Row, New York,
1973-74.

EMERY, F.E. Ed.,
Systems Thinking, Penguin
Books Ltd., Bungay, Suffolk,
1969.

GÉLINIER, O.,
*Le secret des structures
compétitives,* Ed. Hommes
et Techniques, Puteaux, 1968.

KAST, F.E. et
ROSENZWEIG, J.E.,
*Organization and Manage-
ment, A Systems Approach,*
McGraw-Hill, New York,
1970.

KATZ, D. et
KAHN, R.L.,
*The Social Psychology of
Organizations,* John Wiley &
Sons Inc., New York, 1966.

LAWRENCE, P.R. et
LORSCH, J.W.,

Deve'oping Organizations:
Diagnosis and Action,
Addison-Wesley, Reading,
Mass., 1969.

LE MOIGNE, J.L.,

Les systèmes de décision
dans les organisations,
P.U.F., Paris, 1974.

LEWIN, K.,

Psychologie dynamique,
P.U.F., Paris, 1967.

McGREGOR, D.,

La dimension humaine
de l'entreprise,
Gauthier-Villars, 1960.
Trad. 1969.

MORRISEY, G.L.,

Management by Objectives
and Results, Addison-Wesley,
Reading, Mass., 1969.

PRIOUNET, R.,

La France et le management,
Denoël, Paris, 1968.

SELYE, Dr H.,

Stress sans détresse,
Les Editions La Presse,
Montréal, 1974.

VON BERTALANFFY, L.,

Théorie générale des systèmes,
Dunod, Paris, 1973.

Lithographié au Canada
sur les presses de
Métropole Litho Inc.

OUVRAGES PARUS AUX ÉDITIONS

Balises
César Incera, Francine Jinche-
reau, Marthe Lavergne, Micheline Piotte (1974 — 3e édition)

**Recherche spirituelle en grou-
pes**
Louis Fèvre (1974)

Editions du CIM en collaboration avec:

Editions du Jour

J'aime
Yves Saint-Arnaud (1970)

Editions de l'Homme

**Communication et épanouis-
sement personnel**
Lucien Auger (1972)

S'aider soi-même
Lucien Auger (1974)

La Personne humaine
Yves Saint-Arnaud (1974)
Dynamique des groupes
Jean-Marie Aubry,
Yves Saint-Arnaud et autres
(1975 — édition revue et corrigée)

Desclée de Brouwer

**L'Expérience des retraites en
dialogue**
Louis Fève (1974)

Collaborateurs du CIM chez d'autres éditeurs:

Editions universitaires

Dynamique des groupes
Jean-Marie Aubry et Yves
Saint-Arnaud (1970 — 6e édi-
tion)

Desclée de Brouwer

**La Consultation pastorale d'o-
rientation rogérienne**
Yves Saint-Arnaud (1969)

**Editions hommes et
techniques**

**Structure de l'entreprise et ca-
pacité d'innovation**
André-Jean Rigny (1973)

Ouvrages parus aux ÉDITIONS DE L'HOMME

sans * pour l'Amérique du Nord seulement
* pour l'Europe et l'Amérique du Nord
** pour l'Europe seulement

ALIMENTATION — SANTÉ

Allergies, Les, Dr Pierre Delorme
* Cellulite, La, Dr Jean-Paul Ostiguy
Conseils de mon médecin de famille, Les, Dr Maurice Lauzon
Contrôler votre poids, Dr Jean-Paul Ostiguy
Diététique dans la vie quotidienne, La, Louise Lambert-Lagacé
Face-lifting par l'exercice, Le, Senta Maria Rungé
* Guérir ses maux de dos, Dr Hamilton Hall

* Maigrir en santé, Denyse Hunter
* Maigrir, un nouveau régime de vie, Edwin Bayrd
Massage, Le, Byron Scott
Médecine esthétique, La, Dr Guylaine Lanctôt
* Régime pour maigrir, Marie-Josée Beaudoin
* Sport-santé et nutrition, Dr Jean-Paul Ostiguy
* Vivre jeune, Myra Waldo

ART CULINAIRE

Agneau, L', Jehane Benoit
Art d'apprêter les restes, L', Suzanne Lapointe
* Art de la cuisine chinoise, L', Stella Chan
Art de la table, L', Marguerite du Coffre
Boîte à lunch, La, Louise Lambert-Lagacé
Bonne table, La, Juliette Huot
Brasserie la Mère Clavet vous présente ses recettes, La, Léo Godon
Canapés et amuse-gueule
101 omelettes, Claude Marycette
Cocktails de Jacques Normand, Les, Jacques Normand
Confitures, Les, Misette Godard
* Congélation des aliments, La, Suzanne Lapointe
* Conserves, Les, Soeur Berthe
* Cuisine au wok, La, Charmaine Solomon
Cuisine chinoise, La, Lizette Gervais
Cuisine de Maman Lapointe, La, Suzanne Lapointe
Cuisine de Pol Martin, La, Pol Martin
Cuisine des 4 saisons, La, Hélène Durand-LaRoche

* Cuisine du monde entier, La, Jehane Benoit
Cuisine en fête, La, Juliette Lassonde
Cuisine facile aux micro-ondes, Pauline Saint-Amour
* Cuisine micro-ondes, La, Jehane Benoit
Desserts diététiques, Claude Poliquin
Du potager à la table, Paul Pouliot, Pol Martin
En cuisinant de 5 à 6, Juliette Huot
* Faire son pain soi-même, Janice Murray Gill
* Fèves, haricots et autres légumineuses, Tess Mallos
Fondue et barbecue
* Fondues et flambées de Maman Lapointe, S. et L. Lapointe
Fruits, Les, John Goode
Gastronomie au Québec, La, Abel Benquet
Grande cuisine au Pernod, La, Suzanne Lapointe
Grillades, Les
* Guide complet du barman, Le, Jacques Normand
Hors-d'oeuvre, salades et buffets froids, Louis Dubois

1

DOCUMENTS — BIOGRAPHIES

Provencher, le dernier des coureurs de bois, Paul Provencher
Réal Caouette, Marcel Huguet
Révolte contre le monde moderne, Julius Evola
Struma, Le, Michel Solomon
Temps des fêtes au Québec, Le, Raymond Montpetit
Terrorisme québécois, Le, Dr Gustave Morf

* Treizième chandelle, La, T. Lobsang Rampa
Troisième voie, La, Me Emile Colas
Trois vies de Pearson, Les, J.-M. Poliquin, J.R. Beal
Trudeau, le paradoxe, Anthony Westell
Vizzini, Sal Vizzini
Vrai visage de Duplessis, Le, Pierre Laporte

ENCYCLOPÉDIES

Encyclopédie de la chasse au Québec, Bernard Leiffet
Encyclopédie de la maison québécoise, M. Lessard, H. Marquis
* Encyclopédie de la santé de l'enfant, L', Richard I. Feinbloom
Encyclopédie des antiquités du Québec, M. Lessard, H. Marquis

Encyclopédie des oiseaux du Québec, W. Earl Godfrey
Encyclopédie du jardinier horticulteur, W.H. Perron
Encyclopédie du Québec, vol. I, Louis Landry
Encyclopédie du Québec, vol. II, Louis Landry

ENFANCE ET MATERNITÉ

* Aider son enfant en maternelle et en 1ère année, Louise Pedneault-Pontbriand
* Aider votre enfant à lire et à écrire, Louise Doyon-Richard
Avoir un enfant après 35 ans, Isabelle Robert
* Comment avoir des enfants heureux, Jacob Azerrad
Comment amuser nos enfants, Louis Stanké
* Comment nourrir son enfant, Louise Lambert-Lagacé
* Découvrez votre enfant par ses jeux, Didier Calvet
Des enfants découvrent l'agriculture, Didier Calvet
* Développement psychomoteur du bébé, Le, Didier Calvet
* Douze premiers mois de mon enfant, Les, Frank Caplan
Droits des futurs parents, Les, Valmai Howe Elkins
* En attendant notre enfant, Yvette Pratte-Marchessault
Enfant unique, L', Ellen Peck
* Éveillez votre enfant par des contes, Didier Calvet

* Exercices et jeux pour enfants, Trude Sekely
Femme enceinte, La, Dr Robert A. Bradley
Futur père, Yvette Pratte-Marchessault
* Jouons avec les lettres, Louise Doyon-Richard
* Langage de votre enfant, Le, Claude Langevin
Maman et son nouveau-né, La, Trude Sekely
Merveilleuse histoire de la naissance, Dr Lionel Gendron
Pour bébé, le sein ou le biberon, Yvette Pratte-Marchessault
Pour vous future maman, Trude Sekely
* Préparez votre enfant à l'école, Louise Doyon-Richard
* Psychologie de l'enfant, La, Françoise Cholette-Pérusse
* Tout se joue avant la maternelle, Isuba Mansuka
* Trois premières années de mon enfant, Les, Dr Burton L. White
* Une naissance apprivoisée, Edith Fournier, Michel Moreau

LANGUE

Améliorez votre français, Jacques Laurin

* Anglais par la méthode choc, L', Jean-Louis Morgan

Corrigeons nos anglicismes, Jacques Laurin
* J'apprends l'anglais, G. Silicani et J. Grisé-Allard
Notre français et ses pièges, Jacques Laurin

Petit dictionnaire du joual au françai Augustin Turennes
Verbes, Les, Jacques Laurin

LITTÉRATURE

Adieu Québec, André Bruneau
Allocutaire, L', Gilbert Langlois
Arrivants, Les, collaboration
Berger, Les, Marcel Cabay-Marin
Bigaouette, Raymond Lévesque
Carnivores, Les, François Moreau
Carré St-Louis, Jean-Jules Richard
Centre-ville, Jean-Jules Richard
Chez les termites, Madeleine Ouellette-Michalska
Commettants de Caridad, Les, Yves Thériault
Danka, Marcel Godin
Débarque, La, Raymond Plante
Domaine Cassaubon, Le, Gilbert Langlois
Doux mal, Le, Andrée Maillet
D'un mur à l'autre, Paul-André Bibeau
Emprise, L', Gaétan Brulotte
Engrenage, L', Claudine Numainville
En hommage aux araignées, Esther Rochon
Faites de beaux rêves, Jacques Poulin
Fuite immobile, La, Gilles Archambault

J'parle tout seul quand Jean Narrach Émile Coderre
Jeu des saisons, Le, Madeleine Ouelette-Michalska
Marche des grands cocus, La, Roge Fournier
Monde aime mieux..., Le, Clémenc Desrochers
Mourir en automne, Claude DeCotret
N'Tsuk, Yves Thériault
Neuf jours de haine, Jean-Jules R chard
New medea, Monique Bosco
Outaragasipi, L', Claude Jasmin
Petite fleur du Vietnam, La, Clémer Gaumont
Pièges, Jean-Jules Richard
Porte silence, Paul-André Bibeau
Requiem pour un père, Françoi Moreau
Si tu savais..., Georges Dor
Tête blanche, Marie-Claire Blais
Trou, Le, Sylvain Chapdeleine
Visages de l'enfance, Les, Dominiqu Blondeau

LIVRES PRATIQUES — LOISIRS

Améliorons notre bridge, Charles A. Durand
* Art du dressage de défense et d'attaque, L', Gilles Chartier
* Art du pliage du papier, L', Robert Harbin
* Baladi, Le, Micheline d'Astous
* Ballet-jazz, Le, Allen Dow et Mike Michaelson
* Belles danses, Les, Allen Dow et Mike Michaelson
Bien nourrir son chat, Christian d'Orangeville
Bien nourrir son chien, Christian d'Orangeville
Bonnes idées de maman Lapointe, Les, Lucette Lapointe
* Bridge, Le, Vivianne Beaulieu
Budget, Le, en collaboration
Choix de carrières, T. I, Guy Milot
Choix de carrières, T. II, Guy Milot

Choix de carrières, T. III, Guy Milot
Collectionner les timbres, Yves Tas chereau
Comment acheter et vendre sa mai son, Lucile Brisebois
Comment rédiger son curriculum vitae, Julie Brazeau
Comment tirer le maximum d'un mini-calculatrice, Henry Mullish
Conseils aux inventeurs, Raymond-A Robic
Construire sa maison en bois rustique D. Mann et R. Skinulis
Crochet jacquard, Le, Brigitte Thérien
Cuir, Le, L. St-Hilaire, W. Vogt
* Découvrir son ordinateur personnel François Faguy
Dentelle, La, Andrée-Anne de Sève
Dentelle II, La, Andrée-Anne de Sève
Dictionnaire des affaires, Le, Wilfrid Lebel

* Dictionnaire des mots croisés — noms communs, Paul Lasnier
* Dictionnaire des mots croisés — noms propres, Piquette-Lasnier-Gauthier
Dictionnaire économique et financier, Eugène Lafond
* Dictionnaire raisonné des mots croisés, Jacqueline Charron
Emploi idéal en 4 minutes, L', Geoffrey Lalonde
Étiquette du mariage, L', Marcelle Fortin-Jacques
Faire son testament soi-même, Me G. Poirier et M. Nadeau Lescault
Fins de partie aux dames, H. Tranquille et G. Lefebvre
Fléché, Le, F. Bourret, L. Lavigne
Frivolité, La, Alexandra Pineault-Vaillancourt
Gagster, Claude Landré
Guide complet de la couture, Le, Lise Chartier
* Guide complet des cheveux, Le, Phillip Kingsley
Guide du chauffage au bois, Le, Gordon Flagler
* Guitare, La, Peter Collins
Hypnotisme, L', Jean Manolesco
* J'apprends à dessiner, Joanna Nash
Jeu de la carte et ses techniques, Le, Charles A. Durand
Jeux de cartes, Les, George F. Hervey
Jeux de dés, Les, Skip Frey
Jeux d'hier et d'aujourd'hui, S. Lavoie et Y. Morin
Jeux de société, Louis Stanké
Jouets, Les, Nicole Bolduc
Lignes de la main, Les, Louis Stanké
Loi et vos droits, La, Me Paul-Émile Marchand
Magie et tours de passe-passe, Ian Adair
Magie par la science, La, Walter B. Gibson
Manuel de pilotage
Marionnettes, Les, Roger Régnier
Mécanique de mon auto, La, Time Life Books
Mon chat, le soigner, le guérir, Christian d'Orangeville

Nature et l'artisanat, La, Soeur Pauline Roy
* Noeuds, Les, George Russel Shaw
Nouveau guide du propriétaire et du locataire, Le, Mes M. Bolduc, M. Lavigne, J. Giroux
* Ouverture aux échecs, L', Camille Coudari
Papier mâché, Le, Roger Régnier
P'tite ferme, les animaux, La, Jean-Claude Trait
Petit manuel de la femme au travail, Lise Cardinal
Poids et mesures, calcul rapide, Louis Stanké
Races de chats, chats de race, Christian d'Orangeville
Races de chiens, chiens de race, Christian d'Orangeville
Roulez sans vous faire rouler, T. I, Philippe Edmonston
Roulez sans vous faire rouler, T. II, le guide des voitures d'occasion, Philippe Edmonston
Savoir-vivre d'aujourd'hui, Le, Marcelle Fortin-Jacques
Savoir-vivre, Nicole Germain
Scrabble, Le, Daniel Gallez
Secrétaire bilingue, Le/la, Wilfrid Lebel
Secrétaire efficace, La, Marian G. Simpsons
Tapisserie, La, T.M. Perrier, N.B. Langlois
* Taxidermie, La, Jean Labrie
Tenir maison, Françoise Gaudet-Smet
Terre cuite, Robert Fortier
Tissage, Le, G. Galarneau, J. Grisé-Allard
Tout sur le macramé, Virginia I. Harvey
Trouvailles de Clémence, Les, Clémence Desrochers
2001 trucs ménagers, Lucille Godin
Vive la compagnie, Pierre Daigneault
Vitrail, Le, Claude Bettinger
Voir clair aux dames, H. Tranquille, G. Lefebvre
* Voir clair aux échecs, Henri Tranquille
* Votre avenir par les cartes, Louis Stanké
Votre discothèque, Paul Roussel

PHOTOGRAPHIE

8/super 8/16, André Lafrance
Apprendre la photo de sport, Denis Brodeur
Apprenez la photographie avec Antoine Desilets
* Chasse photographique, La, Louis-Philippe Coiteux
* Découvrez le monde merveilleux de la photographie, Antoine Desilets
* Je développe mes photos, Antoine Desilets

* **Guide des accessoires et appareils photos, Le,** Antoine Desilets, Paul Taillefer
* **Je prends des photos,** Antoine Desilets
* **Photo à la portée de tous, La,** Antoine Desilets
* **Photo de A à Z, La,** Desilets, Coiteux Gariépy
* **Photo Reportage,** Alain Renaud
* **Technique de la photo, La,** Antoine Desilets

PLANTES ET JARDINAGE

Arbres, haies et arbustes, Paul Pouliot
Automne, le jardinage aux quatre saisons, Paul Pouliot
* **Décoration intérieure par les plantes, La,** M. du Coffre, T. Debeur
Été, le jardinage aux quatre saisons, Paul Pouliot
Guide complet du jardinage, Le, Charles L. Wilson
Hiver, le jardinage aux quatre saisons, Paul Pouliot
Jardins d'intérieur et serres domestiques, Micheline Lachance

Jardin potager, la p'tite ferme, Le, Jean-Claude Trait
Je décore avec des fleurs, Mimi Bassili
Plantes d'intérieur, Les, Paul Pouliot
Printemps, le jardinage aux quatre saisons, Paul Pouliot
Techniques du jardinage, Les, Paul Pouliot
* **Terrariums, Les,** Ken Kayatta et Steven Schmidt
Votre pelouse, Paul Pouliot

PSYCHOLOGIE

Âge démasqué, L', Hubert de Ravinel
* **Aider mon patron à m'aider,** Eugène Houde
* **Amour, de l'exigence à la préférence, L',** Lucien Auger
Caractères et tempéraments, Claude-Gérard Sarrazin
* **Coeur à l'ouvrage, Le,** Gérald Lefebvre
* **Comment animer un groupe,** collaboration
* **Comment déborder d'énergie,** Jean-Paul Simard
* **Comment vaincre la gêne et la timidité,** René-Salvator Catta
* **Communication dans le couple, La,** Luc Granger
* **Communication et épanouissement personnel,** Lucien Auger
Complexes et psychanalyse, Pierre Valinieff
* **Contact,** Léonard et Nathalie Zunin
* **Courage de vivre, Le,** Dr Ari Kiev
Dynamique des groupes, J.M. Aubry, Y. Saint-Arnaud
* **Émotivité et efficacité au travail,** Eugène Houde
* **Être soi-même,** Dorothy Corkille Briggs
* **Facteur chance, Le,** Max Gunther
* **Fantasmes créateurs, Les,** J.L. Singer, E. Switzer

Frères — Soeurs, la rivalité fraternelle, Dr J.F. McDermott, Jr
* **Hypnose, bluff ou réalité?,** Alain Marillac
* **Interprétez vos rêves,** Louis Stanké
* **J'aime,** Yves Saint-Arnaud
* **Mise en forme psychologique, La,** Richard Corriere et Joseph Hart
* **Parle moi... j'ai des choses à te dire,** Jacques Salomé
Penser heureux, Lucien Auger
* **Personne humaine, La,** Yves Saint-Arnaud
* **Première impression, La,** Chris. L. Kleinke
* **Psychologie de l'amour romantique, La,** Dr Nathaniel Branden
* **S'affirmer et communiquer,** J.-M. Boisvert, M. Beaudry
* **S'aider soi-même,** Lucien Auger
* **S'aider soi-même davantage,** Lucien Auger
* **S'aimer pour la vie,** Dr Zev Wanderer et Erika Fabian
* **Savoir organiser, savoir décider,** Gérald Lefebvre
* **Savoir relaxer pour combattre le stress,** Dr Edmund Jacobson
* **Se changer,** Michael J. Mahoney
* **Se comprendre soi-même,** collaboration
* **Se concentrer pour être heureux,** Jean-Paul Simard

* Se connaître soi-même, Gérard Artaud
* Se contrôler par le biofeedback, Paul-tre Ligondé
* Se créer par la gestalt, Joseph Zinker
  Se guérir de la sottise, Lucien Auger
  S'entraider, Jacques Limoges
  Séparation du couple, La, Dr Robert S. Weiss
* Trouver la paix en soi et avec les autres, Dr Theodor Rubin

* Vaincre ses peurs, Lucien Auger
* Vivre avec sa tête ou avec son coeur, Lucien Auger
  Volonté, l'attention, la mémoire, La, Robert Tocquet
  Votre personnalité, caractère..., Yves Benoit Morin
* Vouloir c'est pouvoir, Raymond Hull
  Yoga, corps et pensée, Bruno Leclercq
  Yoga des sphères, Le, Bruno Leclercq

SEXOLOGIE

* Avortement et contraception, Dr Henry Morgentaler
* Bien vivre sa ménopause, Dr Lionel Gendron
* Comment séduire les femmes, E. Weber, M. Cochran
* Comment séduire les hommes, Nicole Ariana
  Fais voir! W. McBride et Dr H.F.-Hardt
* Femme enceinte et la sexualité, La, Elizabeth Bing, Libby Colman
  Femme et le sexe, La, Dr Lionel Gendron
* Guide gynécologique de la femme moderne, Le, Dr Sheldon H. Sherry
  Helga, Eric F. Bender

  Homme et l'art érotique, L', Dr Lionel Gendron
  Maladies transmises sexuellement, Les, Dr Lionel Gendron
  Qu'est-ce qu'un homme? Dr Lionel Gendron
  Quel est votre quotient psycho-sexuel? Dr Lionel Gendron
* Sexe au féminin, Le, Carmen Kerr
  Sexualité, La, Dr Lionel Gendron
* Sexualité du jeune adolescent, La, Dr Lionel Gendron
  Sexualité dynamique, La, Dr Paul Lefort
* Ta première expérience sexuelle, Dr Lionel Gendron et A.-M. Ratelle
* Yoga sexe, S. Piuze et Dr L. Gendron

SPORTS

  ABC du hockey, L', Howie Meeker
* Aïkido — au-delà de l'agressivité, M. N.D. Villadorata et P. Grisard
  Apprenez à patiner, Gaston Marcotte
* Armes de chasse, Les, Charles Petit-Martinon
* Badminton, Le, Jean Corbeil
  Ballon sur glace, Le, Jean Corbeil
  Bicyclette, La, Jean Corbeil
* Canoë-kayak, Le, Wolf Ruck
* Carte et boussole, Björn Kjellström
  100 trucs de billard, Pierre Morin
  Chasse et gibier du Québec, Greg Guardo, Raymond Bergeron
  Chasseurs sachez chasser, Lucien B. Lapierre
* Comment se sortir du trou au golf, L. Brien et J. Barrette
* Comment vivre dans la nature, Bill Riviere
* Conditionnement physique, Le, Che-valier-Laferrière-Bergeron
* Corrigez vos défauts au golf, Yves Bergeron

  Corrigez vos défauts au jogging, Yves Bergeron
  Danse aérobique, La, Barbie Allen
* En forme après 50 ans, Trude Sekely
* En superforme par la méthode de la NASA, Dr Pierre Gravel
  Entraînement par les poids et hal-tères, Frank Ryan
  Équitation en plein air, L', Jean-Louis Chaumel
  Exercices pour rester jeune, Trude Sekely
* Exercices pour toi et moi, Joanne Dus-sault-Corbeil
  Femme et le karaté samouraï, La, Ro-ger Lesourd
  Guide du judo (technique debout), Le, Louis Arpin
* Guide du self-defense, Le, Louis Arpin
* Guide de survie de l'armée américaine, Le
  Guide du trappeur, Paul Provencher
  Initiation à la plongée sous-marine, René Goblot

Imprimé au Canada/Printed in Canada